1580242564

中华人民共和国电力行业标准

火力发电厂贮灰场岩土工程
勘测技术规程

Technical code for investigation of geotechnical engineering
of ash yard of fossil fuel power plant

DL/T 5097—2014
代替 DL/T 5097—1999

主编部门：电力规划设计总院
批准部门：国 家 能 源 局
施行日期：2015年3月1日

中国计划出版社

2014 北 京

国 家 能 源 局
公 告

2014 年　第 11 号

依据《国家能源局关于印发〈能源领域行业标准化管理办法（试行）〉及实施细则的通知》（国能局科技〔2009〕52号）有关规定，经审查，国家能源局批准《压水堆核电厂用碳钢和低合金钢第17部分：主蒸汽系统用推制弯头》等330项行业标准，其中能源标准（NB）71项、电力标准（DL）122项和石油天然气标准（SY）137项，现予以发布。

附件：行业标准目录

国家能源局
2014年10月15日

附件：

行业标准目录

序号	标准编号	标准名称	代替标准	采标号	批准日期	实施日期
……						
170	DL/T 5097—2014	火力发电厂贮灰场岩土工程勘测技术规程	DL/T 5097—1999		2014-10-15	2015-03-01
……						

前　言

根据《国家能源局关于下达 2011 年第二批能源领域行业标准制（修）订计划的通知》（国能科技〔2011〕252 号）的要求，标准编制组根据近年来除灰和贮灰方式的变化，调研、总结了十年来贮灰场岩土工程勘测经验，并在广泛征求意见的基础上，对原《火力发电厂贮灰场岩土工程勘测技术规程》DL/T 5097—1999 进行修订。

本标准主要技术内容包括：总则、术语、基本规定、初步可行性研究阶段勘测、可行性研究阶段勘测、初步设计阶段勘测、施工图设计阶段勘测、子坝加高勘测、筑坝材料勘测、勘测方法、岩土工程分析与勘测成品、现场检验与监测等。

本次修订的主要内容是：

1. 修改第 1 章范围为总则、第 2 章引用标准为术语；
2. 修改了建筑场地复杂程度划分标准；
3. 调整、修改了各阶段勘测的目的、任务要求；
4. 初步设计阶段勘测和施工图设计阶段勘测的章节结构和技术内容发生了变化，分别按贮灰场类型和建（构）筑物地段编排；
5. 新增了灰渣泄漏评价相关内容；
6. 增加了灰场管理站勘测的内容；
7. 删除了下游贴坡加高勘测章节内容；
8. 修改第 10 章为勘测方法并增加了工程地质测绘与调查的内容；
9. 增加了修订说明；
10. 调整、修改了附录部分的内容。

本标准自实施之日起，替代《火力发电厂贮灰场岩土工程勘测技术规程》DL/T 5097—1999。

本标准由国家能源局负责管理,由电力规划设计总院提出,由能源行业发电设计标准化技术委员会负责日常管理,中国电力工程顾问集团西南电力设计院负责具体技术内容的解释。执行过程中如有意见或建议,请寄送电力规划设计总院(地址:北京市西城区安德路65号;邮政编码:100120)。

本标准主编单位、参编单位、主要起草人员和主要审查人员:

主 编 单 位:中国电力工程顾问集团西南电力设计院
参 编 单 位:中国电力工程顾问集团西北电力设计院
辽宁电力勘测设计院
主要起草人:李世柏　曹卫东　余凤先　张希宏　潘　峰
刘志伟　侯连成　谭光杰
主要审查人:王中平　刘淑芬　王　盾　邓南文　袁立江
余小奎　叶静风　刘厚健　李彦利　方德火
汪保明　赵锦明　任亚群　邵长云　廖爱平
马海毅　王基文　张锡涛

目 次

1 总则 …………………………………………………（1）
2 术语 …………………………………………………（2）
3 基本规定 ……………………………………………（3）
4 初步可行性研究阶段勘测 …………………………（5）
5 可行性研究阶段勘测 ………………………………（7）
6 初步设计阶段勘测 …………………………………（10）
  6.1 一般规定 ………………………………………（10）
  6.2 山谷灰场勘测 …………………………………（12）
  6.3 平原灰场勘测 …………………………………（13）
  6.4 滩涂灰场勘测 …………………………………（14）
7 施工图设计阶段勘测 ………………………………（15）
  7.1 一般规定 ………………………………………（15）
  7.2 坝址勘测 ………………………………………（16）
  7.3 排洪系统勘测 …………………………………（18）
  7.4 灰场管理站勘测 ………………………………（20）
8 子坝加高勘测 ………………………………………（21）
9 筑坝材料勘测 ………………………………………（24）
  9.1 一般规定 ………………………………………（24）
  9.2 石料勘测 ………………………………………（25）
  9.3 土料勘测 ………………………………………（25）
  9.4 砂、卵(砾)石料勘测 ……………………………（26）
  9.5 储量计算 ………………………………………（26）
10 勘测方法 …………………………………………（27）
  10.1 工程地质测绘与调查、勘探和原位测试 …………（27）

  10.2 室内试验 …………………………………………… (28)
11 岩土工程分析与勘测成品 ………………………………… (30)
  11.1 岩土工程分析 ……………………………………… (30)
  11.2 勘测成品 …………………………………………… (32)
12 现场检验与监测 …………………………………………… (34)
  12.1 现场检验 …………………………………………… (34)
  12.2 现场监测 …………………………………………… (34)
附录 A 贮灰场室内试验项目 ………………………………… (36)
附录 B 贮灰场各阶段勘测成品 ……………………………… (39)
本标准用词说明 ……………………………………………… (40)
引用标准名录 ………………………………………………… (41)
附：条文说明 ………………………………………………… (43)

Contents

1 General provisions ··· (1)
2 Terms ··· (2)
3 Basic requirement ·· (3)
4 Investigation of preliminary feasibility study
  stage ·· (5)
5 Investigation of feasibility study stage ·············· (7)
6 Investigation of preliminary design stage ··········· (10)
　6.1 General ·· (10)
　6.2 Valley ash yard ····································· (12)
　6.3 Plain ash yard ······································· (13)
　6.4 Shoal ash yard ······································ (14)
7 Investigation of drawing design stage ················ (15)
　7.1 General ·· (15)
　7.2 Dam site ·· (16)
　7.3 Drain system ··· (18)
　7.4 Ash yard management station ···················· (20)
8 Investigation of heightening of subdam ············· (21)
9 Investigation for building materials of dam
  construction ··· (24)
　9.1 General ·· (24)
　9.2 Stone material ······································· (25)
　9.3 Fine-grained soil material ························· (25)
　9.4 Sand and pebble(gravel) material ··············· (26)
　9.5 Reserve of building material ····················· (26)

10 Methods of investigation of geotechnical engineerin	(27)
10.1 Engineering geological mapping and survey, exploration and in-situ tests	(27)
10.2 Laboratory tests	(28)
11 Geotechnical engineering analysis and assessment and investigation report	(30)
11.1 Geotechnical engineering analysis	(30)
11.2 Investigation report	(32)
12 In-situ inspection and monitoring	(34)
12.1 In-situ inspection	(34)
12.2 In-situ monitoring	(34)
Appendix A Test items of laboratory tests	(36)
Appendix B Result report and figures in each investigation stage	(39)
Explanation of wording in this code	(40)
List of quoted standards	(41)
Addition: Explanation of provisions	(43)

1 总　　则

1.0.1 为在火力发电厂贮灰场岩土工程勘测中贯彻执行国家的有关法律、法规和方针、政策,做到技术先进、经济合理、安全适用、确保质量、保护环境,制定本标准。

1.0.2 本标准适用于燃煤火力发电厂山谷灰场、平原灰场和江、河、湖及海滩等滩涂灰场等各类贮灰场的岩土工程勘测。

1.0.3 贮灰场岩土工程勘测应分阶段进行,精心勘测,综合分析,提出资料完整、评价正确的勘测报告。

1.0.4 贮灰场岩土工程勘测除应符合本标准的规定外,尚应符合国家现行有关标准的规定。

2 术 语

2.0.1 干式贮灰场 dry ash disposal area
用以贮存干灰渣及石膏的场地。

2.0.2 湿式贮灰场 wet ash disposal area
用以贮存水力除灰沉积灰渣及除灰水的场地。

2.0.3 坝体 dam body
由初期坝(堤)、子坝及灰渣组成的灰坝整体。

2.0.4 灰坝 ash dam
山谷灰场中用于贮灰、挡水的水工构筑物。

2.0.5 灰堤 ash embankment
平原灰场及滩涂灰场中用于贮灰、挡水的水(海)工构筑物。

2.0.6 子坝 subdam
初期坝(堤)以上采用分级加高方式堆筑而成的后期坝体。

3 基本规定

3.0.1 贮灰场岩土工程勘测应根据建(构)筑物布置、坝型、坝高、库容和贮灰场的运行特点,在查明场地工程地质条件的基础上,进行岩土工程分析评价,为设计及施工提供岩土工程勘测资料。

3.0.2 贮灰场岩土工程勘测应根据场地的复杂程度结合岩土工程需要研究的问题,有针对性地采用综合勘测方法。

3.0.3 贮灰场建筑场地复杂程度可分为复杂场地、中等复杂场地和简单场地,并应符合下列规定:

1 当符合下列条件之一时,可划为复杂场地:
  1) 库区地形地貌、地层结构、地质构造复杂;
  2) 库区岩土性质变化大,具严重湿陷、盐渍化、污染、膨胀、冻胀及融沉的特殊性土;
  3) 坝(堤)基分布有厚度较大的软弱土、液化土,坝肩山体单薄;
  4) 不良地质作用强烈发育;
  5) 地下水埋藏浅,且对工程具有不利影响;
  6) 50年超越概率10%的地震动峰值加速度不小于$0.40g$,场地地震基本烈度不小于Ⅸ度。

2 当同时符合下列条件时,可划为简单场地:
  1) 库区地形地貌、地层结构、地质构造简单;
  2) 库区岩土性质均匀,无特殊性岩土;
  3) 坝(堤)基无软弱土、液化土分布,坝肩山体较厚;
  4) 不良地质作用不发育;
  5) 地下水埋藏深,且对工程无不利影响;
  6) 50年超越概率10%的地震动峰值加速度小于$0.10g$,场地地震基本烈度小于Ⅶ度。

  3 除本条第 1 款、第 2 款所列条件以外者,可划为中等复杂场地。

3.0.4 贮灰场岩土工程勘测阶段划分应与设计阶段相适应,可分为初步可行性研究阶段、可行性研究阶段、初步设计阶段、施工图设计阶段。

3.0.5 在贮灰场主要建(构)筑物布置方案确定的前提下,初步设计阶段勘测和施工图设计阶段勘测可合并进行,其勘测成果应满足施工图设计阶段的要求。

3.0.6 当贮灰场采用分期筑坝方式修建时,可行性研究阶段勘测应符合最终建设规模的要求,初期坝初步设计和施工图设计阶段勘测工作应满足本期筑坝要求。当后期子坝加高勘测合并进行时,其勘测成果应满足施工图设计阶段的要求。

4 初步可行性研究阶段勘测

4.0.1 贮灰场初步可行性研究阶段勘测应对拟选贮灰场的适宜性进行岩土工程初步评价,并初步分析库区渗(泄)漏的可能性,为推荐厂址方案提供资料。

4.0.2 本阶段应配合设计专业选择贮灰场,选择条件宜符合下列要求:

    1 利用山谷、洼地、河(海)滩地和废矿坑等做贮灰场地;

    2 有利于筑坝和成库的地质条件;

    3 具有布置水工排洪、防灰渣泄漏构筑物的有利地形;

    4 贮灰场及附近有足够的筑坝材料;

    5 能避免库区渗(泄)漏所造成的环境污染。

4.0.3 不应将贮灰场坝址选择在全新活动断裂带、泥石流、滑坡和岩溶极强烈发育地段。

4.0.4 选择贮灰场时,除宜避开本规程第4.0.3条所列地段外,还宜避开下列地段:

    1 地下有可开采的矿藏;

    2 岩溶及土洞强烈发育、采空区未相对稳定等可能产生地面塌陷及不易处理的渗(泄)漏问题的地段;

    3 坝址位于对建筑抗震不利的地段;

    4 坝址区存在厚度较大的软弱土、液化土、自重湿陷性黄土层;

    5 对湿式贮灰场,除避开本条第1款~第4款的地段外还宜避开深厚强透水层地段。

4.0.5 本阶段勘测应以搜集资料和现场踏勘调查为主,必要时可进行工程地质调查工作。勘测工作应符合下列规定:

1 搜集资料应包括下列主要内容：
 1）场地地下文物分布、矿藏规划及开采情况；
 2）区域地质资料；
 3）地震基本烈度及近期地震活动的资料；
 4）地质灾害调查与治理资料；
 5）当地的修堤筑坝经验。

2 踏勘调查应包括下列主要内容：
 1）了解拟选场地沟谷两岸的稳定性，有无不良地质作用；
 2）初步了解有无筑坝的有利地形、可能筑坝地段的岩土性质和覆盖层厚度；
 3）初步了解有无修库筑坝的不利地质因素，并判断其处理措施的难易程度；
 4）调查和初步分析产生库区灰渣泄漏、灰水渗漏的可能性及提出防渗（泄）意见。

5 可行性研究阶段勘测

5.0.1 贮灰场可行性研究阶段勘测应对贮灰场的成库条件和坝址稳定性做出初步评价,分析并预测工程建设可能引起的环境地质问题,推荐工程地质条件较优的贮灰场场址。

5.0.2 本阶段勘测应取得下列资料:

1 初步可行性研究阶段勘测资料。

2 设计提供的标示有各类堤坝含初期坝、远期坝、隔离坝、拦洪坝、分期子坝、围堤等坝址;排洪系统;堆灰库区的平面布置图;拟定贮灰方式、坝型、筑坝材料等设计条件。

3 贮灰场范围 1∶2000～1∶10000 地形图。

4 1∶50000～1∶200000 区域地质、区域水文地质资料。

5 场地地震、地质灾害及压覆矿产等资料。

5.0.3 本阶段勘测的主要任务应包括以下内容:

1 初步查明贮灰场范围内地形地貌特征、地质构造、地层岩性及其时代、成因,以及坝址区岩土分布及其主要性质,分析评价坝基、坝肩的稳定性,提出地基处理初步方案和山谷灰场坝轴线位置的建议。

2 初步查明贮灰场影响范围内滑坡、崩塌、泥石流、岩溶、采空等不良地质作用,分析其对坝址稳定的影响和可能产生的库区塌陷危害,以及运行期间可能产生的其他次生地质灾害,并提出初步防治方案。

3 初步查明贮灰场及附近地区水文地质条件和岩溶点分布,评价场地岩土的渗透性和通过岩溶通道产生灰渣泄漏可能性,并提出防治渗(泄)漏的初步方案。

4 提供场地的地震动参数、地震基本烈度。当 50 年超越概率10%的地震动峰值加速度等于或大于0.10g、相对应的地震基本烈度等于或大于Ⅷ度,且存在饱和砂土和饱和粉土时,应进行液化初步判别。

5 调查筑坝材料以及当地修堤筑坝的经验,提出拟选坝型的初步意见。

6 了解贮灰场压覆矿产资源情况以及矿产开采、采空区分布情况。

5.0.4 本阶段勘测应以工程地质调查与测绘为主要勘测方法,并应符合下列规定:

1 平原灰场、滩涂灰场宜进行少量钻探、静力触探、标准贯入试验和室内土工试验工作。

2 山谷灰场初期坝、拦洪坝可进行少量坑探或钻探工作。

3 对岩溶区、塌陷区灰场,应在库区进行物探工作。

5.0.5 工程地质调查或测绘的范围应包括最终堆灰标高所形成的库区、坝址、排洪设施、筑坝材料及附近与研究内容相关的地段。工程地质调查、测绘的比例尺宜选用1:2000～1:10000。

5.0.6 贮灰场工程地质调查与测绘应包括下列内容:

1 地形地貌特征,地层岩性及其时代、成因、分布特征,以及特殊性岩土分布;

2 基岩出露场地的岩层产状、地质构造;

3 各种不良地质作用的成因、分布、规模;

4 地下水的类型、补给来源、排泄条件,强透水层分布,以及井泉分布、流量;

5 岩溶场地的岩溶形态、规模、延伸分布规律及其岩溶发育程度;

6 筑坝材料的产地、种类、贮量以及运输距离、运输状况。

5.0.7 灰坝轴线应选择在地形地质条件好、坝基处理工程量小、库容相对较大的地段。

5.0.8 评价和推荐灰坝坝型应符合下列规定:

1 在第四系地层厚度大或山谷较宽的地段应按当地筑坝材料的种类,选用土坝、堆石坝、砂卵石坝或混合坝等柔性坝。

2 当地基岩石强度较低或岩性不均匀,可能产生较大差异沉降时,应选用土坝、堆石坝等柔性坝。当地基岩石强度较高、山谷比较狭窄,且其他筑坝材料储量不足时,可选择砌石坝等刚性坝。

5.0.9 对需采用隧洞进行排洪的贮灰场,应调查了解隧洞沿线的岩土性质和隧洞埋深及其成洞条件,配合设计确定隧洞轴线,对洞室稳定性做出初步评价。选择排洪隧洞时,应符合下列规定:

1 宜避开断层破碎带、溶洞强烈发育、地下水丰富和地层松软的地带,以及冲沟、洼地、水渠和其他地表水体汇集的地段;

2 洞轴线宜垂直或大角度与岩层走向、地质构造带相交;

3 选择厚的坚硬岩层作洞顶,或选择强度高、厚度大的土层作洞体;

4 隧洞进出口宜选择在岩体完整、基岩出露且强风化层或覆盖层较薄、无不良地质作用的地段。

5.0.10 贮灰场岩土工程勘测评价应包括但不限于下列内容:

1 不良地质作用发育程度及场地稳定性;

2 贮灰场地震动参数以及建筑抗震地段划分;

3 灰场渗(泄)漏可能造成的环境污染及其治理难易程度;

4 贮灰场坝(堤)基处理及其难易程度;

5 当地筑坝材料的可利用性。

5.0.11 当贮灰场环境地质条件复杂时,应提出开展环境地质专项勘测的建议。

6 初步设计阶段勘测

6.1 一般规定

6.1.1 贮灰场初步设计阶段勘测应对坝址稳定性和建(构)筑物地基稳定性做出评价,为堤坝和主要排洪建(构)筑物地基基础方案设计、筑坝设计及不良地质作用的整治提供岩土工程勘测资料,推荐适宜的坝基处理及库区渗(泄)漏处理方案。

6.1.2 本阶段勘测应取得下列资料:

 1 可行性研究阶段贮灰场勘测资料;

 2 贮灰场库区范围的地形图,比例尺不宜小于1:2000;

 3 标示有各类初期堤坝及各级后期子坝轴线、标高,库区堆灰线、标高,排洪及其他建(构)筑物位置的平面布置图;

 4 设计坝型、坝高、坝底宽度及主要建(构)筑物基础设计条件;

 5 筑坝材料的用量和质量要求。

6.1.3 本阶段勘测的主要任务应包括以下内容:

 1 查明坝址区地形地貌、地质构造和岩土分布、类别及其物理力学性质以及地下水渗流条件,评价坝(堤)基抗滑稳定性和地基方案。必要时,还应分析评价坝(堤)基渗流稳定性,提出防止发生流土和管涌的措施。

 2 初步查明排洪系统和灰场管理设施地段的地形地貌、地质构造和岩土分布、类别及其物理力学性质,对建(构)筑物地基基础方案和地基稳定性做出评价。

 3 查明贮灰场地下水的类型和埋藏条件,评价地下水和土的腐蚀性。

 4 查明贮灰场不良地质作用的成因、类型、分布及规模,分析评价其对坝体及其他建(构)筑物场地稳定性、库区塌陷的影响,提出避让或整治方案。

5 查明库区各岩土层的渗透性和洞穴通道,推荐防治渗(泄)漏的处理方案。

6 查明筑坝材料的分布、类型、性质、储量及开采、运输条件。

7 调查当地的修堤筑坝经验,特别是特殊土地区的修堤筑坝经验或堤坝地段原有土堤坝的施工、运行情况。

8 分析预测堤坝下游地段水文地质条件可能产生的变化和影响。

6.1.4 当50年超越概率10%的地震动峰值加速度等于或大于0.05g、相对应的地震基本烈度等于或大于Ⅵ度时,应分析坝址区的地震效应和坝基失稳的可能性,并应符合下列规定:

1 应确定建筑场地类别。

2 当50年超越概率10%的地震动峰值加速度等于或大于0.10g、相对应的地震基本烈度等于或大于Ⅶ度,且存在饱和砂土和饱和粉土时,应进行液化判别;当坝基存在软弱黏性土层时,应进行震陷判别。

3 对判别为液化或震陷的场地,应提出抗地震液化、抗震陷措施。

6.1.5 本阶段岩土工程勘测应采用钻探、坑探、原位测试、工程地质调查等综合勘测方法,并采取代表性岩样、土样进行室内岩石、土工试验。对复杂场地的山谷灰场,宜进行工程地质测绘工作,比例尺不宜小于1∶2000。

6.1.6 当利用天然洼地、洞穴、废矿坑等作贮灰场地而无须修堤筑坝时,可进行库区内的工程地质调查,分析评价库区渗(泄)漏性、库岸边坡与库区稳定性及排洪设施地段岩土性质。

6.1.7 本阶段评价库区岩土的渗透性时,应以工程地质调查为主要方法,并应符合下列规定:

1 对基岩出露的库区,应查明岩性分布、岩层产状和构造断裂发育程度。

2 对有第四系松散堆积物的库区及附近地段,应查明有无砂砾石层、故河道砂卵石层和其他强透水层分布。

3 在岩溶地区,应查明岩溶发育程度、泉点分布和岩溶通道的分布、岩土构成、规模和延伸规律。

6.1.8 当坝(堤)基的天然地基强度、变形和坝体稳定性难以满足设计要求时,应进行坝基处理方案的分析论证,推荐坝(堤)基处理方案。必要时,应提出进行现场原体试验的建议。

6.2 山谷灰场勘测

6.2.1 初步设计阶段山谷灰场勘测应着重查明坝基、坝肩地段不良地质作用和软弱岩土的分布、性质,评价坝址稳定性和地基方案,并提出相应处理措施。

6.2.2 勘探线的布置应符合下列规定:

1 应根据坝址区场地的复杂程度布置勘探线。对简单场地和中等复杂场地,应沿坝轴线和垂直坝轴线各布置1条勘探线;对复杂场地或存在强透水层的湿式贮灰场时,除沿坝轴线和垂直坝轴线各布置1条勘探线外,还应在上游坡脚和下游坡脚附近各布置1条勘探线。

2 对采用分期筑坝的湿式贮灰场,当坝基为淤泥、淤泥质土、泥炭、泥炭质土、冲填土、杂填土及其他高压缩性土等软弱土层或液化土层时,垂直坝轴线的勘探线应向上游延伸至终期坝轴线位置处,向下游延伸至下游坡脚外0.5倍初期坝坝基宽度处。

3 应沿排洪竖井、排洪卧管等主要排洪设施布置勘探线。消能池地段可结合坝址区布置勘探线。

6.2.3 勘探点的布置应符合下列规定:

1 坝址区每条勘探线上勘探点数量不宜少于3个。

2 坝址区的勘探点间距宜为50m~100m。对复杂场地宜取小值,当沟谷狭窄时沿坝轴线方向可适当加密勘探点间距,且沟底处应布置勘探点。

3 排洪竖井、排洪卧管勘探点的间距宜为100m～200m。其他排洪设施可布置少量勘探点。

4 灰场管理站可根据场地复杂程度布置1个～2个勘探点。

5 在岩溶发育地区,应根据工程物探或工程地质调查与测绘成果,在岩溶、土洞发育的地段,增加少量验证性勘探点。

6.2.4 勘探深度应根据地基条件和坝高确定,并应符合下列规定:

1 在基岩裸露或埋藏较浅的场地,勘探深度应达到基岩面,控制性勘探孔应适当加深进入中等风化基岩1m～3m。

2 在基岩埋藏较深的场地,湿式贮灰场勘探深度宜为0.5倍坝高,干式贮灰场勘探深度宜为1.0倍初期坝高度,或进入碎石土、密实砂、老沉积土等坚实土层不应小于3m～5m;当遇软弱土层、液化土层或当终期坝远远超过初期坝高度时,勘探深度应适当加深,以满足地震液化评价及坝基稳定性验算的需要。

3 除排洪竖井、排洪卧管外的其他排洪设施和灰场管理站勘探深度宜进入基岩或坚实土层1m～3m。

4 坝址区岩溶发育时,勘探深度宜为1.0倍初期坝高度,并进入岩溶洞隙以下完整岩体不应小于3m。

6.2.5 当利用废弃水库堤坝作为坝体的一部分时,应以收资、调查为主,必要时对原堤坝布置适量勘探工作,查明堤坝填筑的密实度和坝基土的性质,并评价其作为堤坝体的适宜性。勘探深度应深入原坝基1m～3m。

6.3 平原灰场勘测

6.3.1 初步设计阶段平原灰场勘测应着重查明围堤地段不良地质作用和特殊性岩土的分布和性质,评价围堤地基方案,并提出地基处理措施。

6.3.2 勘探线、点的布置应符合下列规定:

1 勘探线应沿围堤轴线布置。

2 勘探点应重点布置在围堤轴线转角、挖填方和微地貌变化处。

3 可根据工程排洪、防渗、取料需要在灰场内布置少量勘探点。

6.3.3 勘探点间距和勘探深度应符合下列规定：

1 沿围堤轴线布置的勘探点间距宜满足下列规定：

1）简单场地宜为 300m～400m。

2）中等复杂场地宜为 200m～300m。

3）复杂场地宜为 100m～200m。

2 勘探深度应根据围堤高度结合地基条件确定，宜为1.0倍初期围堤高度；当遇有基岩或坚实土层时，勘探深度可适当减少；当遇有软弱土、液化土层时，勘探深度应适当加深，以满足地震液化计算、堤基稳定性验算和地基处理设计的需要。

6.4 滩涂灰场勘测

6.4.1 初步设计阶段滩涂灰场勘测应着重查明围堤地段软弱土层、液化土层的分布和性质，评价围堤地基方案和堤基稳定性，并提出地基处理措施。

6.4.2 勘探线、点的布置可按本规程第6.3.2条的规定执行。

6.4.3 勘探点间距和勘探深度应符合下列规定：

1 沿围堤轴线布置的勘探点间距宜为 100m～300m。

2 勘探深度可根据地基条件结合围堤高度确定，宜为1.5倍～2.0倍初期围堤高度，当存在软弱土层时，勘探深度宜取大值，并应满足稳定性评价和变形验算的要求。

3 当围堤一侧受常年或季节性水位和潮水位影响时，勘探深度应进入最大冲刷深度以下 2m～3m。

6.4.4 当沿丘陵或山地的斜坡、沟谷设置有截洪沟时，可布置少量勘探点，勘探深度宜进入基岩或坚实土层 1m～3m。

7 施工图设计阶段勘测

7.1 一 般 规 定

7.1.1 贮灰场施工图设计阶段岩土工程勘测应在确定贮灰场各建(构)筑物总平面布置的基础上,详细查明各建(构)筑物地段的工程地质条件,进行详细的岩土工程分析评价,为贮灰场堤坝、排洪系统、灰场管理设施的岩土工程设计、施工提供依据。

7.1.2 本阶段勘测应取得下列资料:

1 初步设计阶段贮灰场勘测成果。

2 设计提供的基于比例尺为1:500～1:1000地形图上标示有各建(构)筑物坐标的贮灰场平面布置图、排洪系统纵向布置图。

3 各拟建建(构)筑物基础的基本尺寸、埋深和荷载大小,设计坝轴线、坝型、坝高、坝底宽度,库区堆灰高度、范围,以及特殊结构对地基方面的特殊要求等。

4 筑坝材料的取料位置、用量和质量要求。

7.1.3 本阶段勘测的主要任务应包括以下内容:

1 详细查明各坝址区坝基与坝肩、排洪构筑物、管理设施的地基岩土类别、分布及其物理力学性质,评价各建(构)筑物地基条件,建议地基处理措施。

2 详细查明各建(构)筑物地段的地下水的类型、埋藏条件和地下水位变化情况,评价地下水、土的腐蚀性。

3 查明与坝址稳定性、各类排洪构筑物岸坡或洞室稳定性有关的地质条件,进一步分析评价其稳定性,建议相应的处理措施。

4 详细查明库区范围内不良地质作用的成因、类型、分布范围、规模和岩溶形态、通道、泉点分布特征,分析评价其对贮灰场建设、运行的影响,提出地质灾害防治以及岩溶通道封堵、泉水疏导及其他环境地质问题处理措施的建议。

5 详细查明筑坝材料的类型、产地、储量、质量及开采条件。

7.1.4 采取岩土试样和进行原位测试应符合下列规定：

1 采取土试样和进行原位测试的勘探孔数量应占勘探孔总数的1/3～1/2,并布置在坝址和主要排洪构筑物地段。当已有一定数量的岩、土试验和原位测试资料时,本阶段勘探孔数量可适当减少。

2 采取土试样和原位测试间距可按地基的受力状态和稳定性验算的需要确定：在排洪构筑物主要受力层范围内,间距可为1m～2m,下卧层范围内可为2m～3m；在坝(堤)基下0.5倍坝高深度范围内间距不宜大于2m,靠近堤坝基面宜适当加密间距,遇软弱夹层时应有土试样或原位测试数据,0.5倍坝高深度以下可视土层实际情况选取；当山谷灰场坝肩的土层很厚,且可能产生渗漏和存在稳定性问题时,取样的深度和间距应根据实际情况加深和加密。

3 土试样和原位测试点的数量应按土的性质和试验项目需要确定。每一主要土层取土样总数不应少于6件,且每一主要软弱土层的原位测试数据不应少于6个。

4 山谷灰场的坝基和主要排洪构筑物地基应采取岩样,每一主要岩层不宜少于3组,并适当减少取土试样孔、原位测试孔数量以及土试样、原位测试数量。

岩土试验项目应符合本规程附录A的规定。

7.1.5 本阶段筑坝材料勘测应在初步设计阶段勘测的基础上进行必要的补充工作,并符合本规程第9章的规定。

7.1.6 当贮灰场库区内存在不良地质作用、渗(泄)漏问题或存在软弱土层时,可根据需要在库区布置适当的勘探、试验工作。

7.2 坝址勘测

7.2.1 贮灰场初期坝、隔离坝、拦洪坝、围堤的勘测应符合下列规定：

1 对山谷灰场,应着重对坝基、坝肩强度和堆灰荷载作用下坝基的整体与局部稳定性做出评价,建议坝基处理措施和抗滑稳定、抗渗流破坏措施。

2 对平原灰场和滩涂灰场,应着重查明围堤下有无软弱土层、液化土层分布,建议地基处理措施,评价堆灰荷载作用下堤基的整体与局部稳定性和地表水冲刷、地下水渗流对堤基的稳定性影响。

7.2.2 山谷灰场勘探工作量的布置应符合下列规定:

1 应沿坝轴线和垂直坝轴线各布置1条勘探线。对复杂场地或湿式贮灰场,除沿坝轴线和垂直坝轴线各布置1条勘探线外,还应在上、下游坡脚和左、右坝肩各布置1条勘探线。

2 每条勘探线上不宜少于3个勘探点。勘探点间距可根据场地复杂程度确定,宜为30m～50m。

3 勘探深度可按本规程第6.2.4条的规定执行。当岩溶、土洞发育时,应适当增加追踪性勘探点。

7.2.3 平原灰场勘探工作量的布置应符合下列规定:

1 勘探线应沿围堤轴线布置。当遇有冲沟、洼地并存在软弱土层时,应布置少量垂直围堤轴线方向的勘探线。

2 勘探点间距宜满足下列规定:

1)简单场地宜为150m～200m;

2)中等复杂场地宜为100m～150m;

3)复杂场地宜为50m～100m;

4)沿垂直围堤轴线的勘探点间距可根据场地复杂程度和围堤底宽度确定,宜为20m～40m。

3 勘探深度可按本规程第6.3.3条第2款的规定执行。

7.2.4 滩涂灰场勘探工作量的布置应符合下列规定:

1 勘探线应沿围堤轴线布置,并每间隔1个～3个勘探点布置1条垂直围堤轴线方向的勘探线。

2 沿围堤轴线的勘探点间距宜为50m～100m。沿垂直围堤轴线的勘探点间距宜为 20m～40m。

3 勘探深度可按本规程第 6.4.3 条第 2 款、第 3 款的规定执行。

7.3 排洪系统勘测

7.3.1 山谷灰场排洪系统勘测应着重查明各排洪设施地基条件和不良地质作用,对地基稳定性、堆灰荷载作用下的地基变形及其对地下排洪设施的影响、截洪沟与消能设施的边坡稳定性及其抗冲刷能力做出评价,并提出处理措施。

7.3.2 本阶段山谷灰场排洪系统勘探工作量的布置应符合下列规定:

1 每个排洪竖井、连接井宜布置 1 个勘探点。勘探深度宜进入基岩 2m～3m,当基岩埋藏较深时宜进入基础底面以下坚实土层不小于 3m。

2 排洪卧管拐点处宜布置勘探点,直线段勘探点间距宜为 50m～100m。勘探深度宜进入基岩或进入基础底面以下坚实土层不小于 3m。

3 排洪斜槽应沿两端点及轴线布置勘探点,勘探点间距宜为 30m～50m。勘探深度宜进入基岩或坚实土层一定深度。

4 消能设施应沿两端或中间部位布置 1 个～2 个勘探点。勘探深度宜进入基岩 1m～2m 或进入基础底面以下坚实土层不小于 3m。勘探深度尚应同时满足抗冲刷评价要求,进入最大冲刷深度以下 2m～3m。

5 截洪沟转弯段、地形凹凸地段、覆盖层较厚地段应布置勘探点,直线段勘探点间距宜为 100m～150m。勘探深度宜进入基岩或坚实土层。勘探深度尚应满足稳定性、抗冲刷评价要求。

6 对排洪明渠地段,当地质调查与测绘不能满足要求时,应作少量勘探;转弯段和覆盖层较厚地段应布置勘探点,直线段勘探点间距宜为 100m～200m。勘探深度宜进入基础底面以下

2m～3m。

7.3.3 当平原灰场、滩涂灰场设置有排洪设施时,勘探工作量的布置应符合下列规定:

    1 勘探点间距应根据场地复杂程度确定,宜为100m～200m。

    2 勘探深度宜为排洪设施基础底面以下3m～5m。

7.3.4 对需采用隧洞进行排洪的贮灰场,排洪隧洞勘测应着重查明隧洞进出口及浅埋地段的工程地质条件,特别应查明隧洞进出口附近微地貌的变化及其滑坡、崩塌等不良地质作用,浅埋和有傍山偏压的地段覆盖层和风化层的厚度与性质,对洞体稳定性有影响的断裂破碎带以及其他软弱结构面的位置、规模与性质,分析评价洞室的稳定性,提出相应的处理措施和进出口洞脸的建议坡率。

7.3.5 本阶段排洪隧洞勘测应符合下列规定:

    1 应沿洞轴线两侧一定范围内进行工程地质调查,必要时可局部范围内进行工程地质测绘工作,采用的比例尺宜为1:500～1:1000。调查与测绘应包括下列内容:

    1)沿线地形地貌特征、不良地质作用的分布及发育程度;

    2)沿线覆盖层的厚度,岩层产状、结构、构造、裂隙切割情况和岩体的风化程度、岩石坚硬程度、岩体完整程度,岩土的物理力学性质;

    3)隧洞进出口处成洞条件;

    4)地下水埋藏条件及其活动特征。

    2 勘探与取样应满足下列规定:

    1)应在覆盖层较厚的隧洞进出口处和沿傍山偏压、隧洞转弯、隧洞顶板上覆岩体厚度小于2倍洞径或上覆覆盖层厚度小于3倍洞径等地段洞体外侧"之"字形布置勘探点。勘探深度应超过洞底3m～5m。当洞底有软弱地层或不良地质作用发育时,勘探深度应适当加深。

    2)隧洞穿越故河道、断层破碎带和不良地质作用发育的地段应布置适量的勘探点。在岩溶发育地段,可采用工程物探。

3）隧洞穿越软质岩层、胀缩性岩土及湿陷性黄土地段应布置适量的勘探点,并分析上述岩土在水的长期浸泡作用下,产生软化、膨胀及湿陷现象对洞体稳定的影响。

4）隧洞其他直线段可布置少量的勘探工作。

5）应通过钻孔在隧洞洞体和围岩深度段采取代表性的岩土试样,进行室内岩、土试验。

7.3.6 洞室围岩稳定性评价时,应根据现行国家标准《工程岩体分级标准》GB 50218进行岩体基本质量分级、确定工程岩体级别,评价地下工程岩体的自稳能力。

7.4 灰场管理站勘测

7.4.1 灰场管理站勘测应着重查明建筑物地基条件和不良地质作用,分析评价地基和场地稳定性。

7.4.2 灰场管理站可沿建筑物轮廓线布置勘探点,勘探点数量可为4个～6个,勘探深度应进入基础底面以下5m,或进入基岩、坚实土层1m～3m。

8 子坝加高勘测

8.0.1 子坝加高勘测应着重查明拟建坝基地段灰渣的沉积堆填特征、物理力学性质和子坝肩的工程地质条件,评价灰渣筑坝的稳定性与子坝加高的适宜性,提出坝基处理措施的建议。

8.0.2 对多级子坝加高工程,宜分级进行子坝加高勘测,其勘测成果应满足施工图设计的要求。

8.0.3 子坝加高勘测应取得下列资料或了解下列情况:

1 设计提供的子坝加高平面布置图、坝体纵向布置图,子坝坝型、分级、各级高度、底宽和设计坝前堆灰标高等资料。

2 子坝加高地段原始地形图、灰场地下设施的竣工图资料。

3 前期坝的勘测、设计、施工和运行资料,坝体的变形监测、浸润线监测、渗漏和加固等资料。

4 灰渣排放或堆填方式、坝前积水、堆灰现状等运行情况。

5 筑坝材料类型、用量和质量要求。

8.0.4 子坝加高勘测初期应现场调查前期坝体渗漏、变形等稳定状况,并收集相关监测资料。对已产生渗漏、变形和破坏的坝体,应初步分析其产生原因和发展趋势,评价子坝加高的适宜性,必要时应提出开展病坝治理专项勘测的建议。

8.0.5 子坝加高勘测应对拟建子坝坝基和坝肩进行勘探、测试工作。勘探点、线的布置及勘探深度应符合下列规定:

1 山谷灰场应沿子坝轴线和子坝上游坡脚各布置1条勘探线,勘探点间距宜为30m~50m;当谷底原始地形变化较大时,可适当加密勘探点。当灰渣土工程性质或均匀性较差时宜增加垂直子坝轴线方向的勘探线1条~2条,勘探线向上游延伸至上游坝脚外0.5倍子坝坝底宽度处。

2 平原灰场和滩涂灰场的勘探线应沿子坝轴线布置,勘探点间距宜为100m～150m;当灰渣土工程性质或均匀性较差时,可适当加密勘探点,并每间隔1个～2个勘探点增加垂直子坝轴线方向的勘探线1条,勘探点间距宜为0.5倍子坝坝底宽度。

3 勘探深度宜为1.0倍子坝高度,并应满足地基压缩层计算和抗滑稳定计算深度要求;当坝基灰渣存在液化可能时,勘探深度尚应满足液化判别的要求。

8.0.6 子坝加高勘测应以静力触探、标准贯入试验、动力触探等原位测试为主要方法,适当采用坑探和室内物理力学试验,必要时可进行波速测试、载荷试验和注水试验,并应符合下列规定:

1 主要受力层范围内,取样或原位测试的垂直间距宜为1m～2m,当灰渣的密实度变化较大时,宜取小值。

2 当采用多种原位测试时,宜布置适量的对比性勘探点。

3 同一土层取样或原位测试数据不应少于6个。

8.0.7 采取灰渣原状土样时应避免对土样的扰动,宜采用探井内环刀取样。当钻孔内取样时,可选用内环刀取砂器、双管单动内环刀取砂器,并避免重击。有条件时宜进行现场密度试验、含水量试验。

灰渣的土工试验项目应符合本规程附录A的规定。

8.0.8 当50年超越概率10%的地震动峰值加速度等于或大于0.10g、相对应的地震基本烈度等于或大于Ⅶ度时,应进行饱和灰渣土的液化判别,其判别方法可按饱和砂土液化判别的规定执行。

8.0.9 子坝加高勘测应在查明坝基灰渣土的沉积堆填特征、物理力学性质的基础上,分析评价灰渣的工程特性和筑坝地基均匀性。灰渣土的地基承载力宜按原位测试成果结合建筑经验综合分析确定。

8.0.10 冻结的灰渣不宜作坝基和筑坝材料。

8.0.11 当灰渣地基不能满足加高子坝要求时,应根据灰渣的工程特性、设计条件、施工条件,结合同类工程地基处理经验,推荐地基处理方案,并提出进行原体试验的建议。

8.0.12 当采用灰渣作子坝的坝体材料时,对灰渣填筑料,应进行颗粒分析、击实试验、击实后的物理力学试验和渗透试验。采样点应具有代表性。取扰动样数量不宜少于3件。灰渣料场应远离规划的最终一级子坝足够距离,并对取料场的开挖边坡提出分级放坡要求。

9 筑坝材料勘测

9.1 一般规定

9.1.1 筑坝材料勘测应查明筑坝所需材料的种类、性质、产地、储量、分布、埋深及开采、运输条件,为坝体设计提供依据。

9.1.2 选择筑坝材料应遵循因地制宜、就地取材、优先在场内取料、少占或不占耕地林地、保护自然生态和开采运输方便的原则。

9.1.3 筑坝材料应优先选择工程特性适宜的岩土。当采用膨胀岩土、盐渍土、湿陷性黄土、风化残积土等特殊岩土作为坝体材料时,应采取改良措施,并通过专项试验确定。

9.1.4 筑坝材料勘测应进行工程地质调查或测绘,所用地形图比例尺宜为 1∶1000～1∶10000。

9.1.5 选择筑坝材料应避免因料场的开挖而影响贮灰场各建(构)筑物布置、安全,不应采取库内岩溶、土洞发育地段的黏性土和粉土等天然覆盖层以及与坝基、坝肩渗漏和稳定有关的土料、石料。

9.1.6 筑坝材料的勘探储量应大于设计需要量的 1.5 倍,勘探储量的误差不应超过 15%。

9.1.7 当筑坝材料的质量或储量不能满足设计要求时,应根据实际勘测的结果,及时提出另选料场或提出修改坝型设计的建议。

9.1.8 采取土料、砂料、卵(砾)石料试样的勘探点应在料场均匀分布。每个主料场的主要有用层位,每组试样不宜少于 3 件。对零星的小料场,可视实际情况选取试样。

9.1.9 坝体设计填筑标准应通过现场压实试验或室内击实试验等专项试验确定。

9.1.10 当采用灰渣作子坝的坝体材料时,应符合本规程第 8 章的规定。

9.2 石料勘测

9.2.1 石料勘测可采用工程地质调查为主,必要时可作实测剖面和少量勘探、试验工作,并应查明下列内容:
   1 岩石的名称及其物理、力学性质。
   2 岩层层厚、产状、裂隙切割状况及风化程度。
   3 剥离层、无用层厚度及方量,有用层的埋藏条件、分布范围、储量、质量,开采运输条件和对环境的影响。
   4 岩溶发育地场地应剔除充填物的方量。

9.2.2 用于砌石坝、堆石坝的坝体材料和排渗体石料、护面石料宜选择硬质、不易软化的未风化、微风化岩石。

9.2.3 石料勘测应调查附近石料场的开采情况,进行类比,分析判断所选料场在爆破开采后的石块破碎情况。

9.2.4 在有经验的地区,石料的物理力学性质可用经验值。在缺乏经验的地区,宜在代表性地段采取试样进行岩石试验。石料试验项目应符合本规程附录 A 的规定。

9.3 土料勘测

9.3.1 土料勘测应以勘探为主并进行必要的工程地质调查和试验工作,查明土的物理力学性质、有用层厚度、分布范围、层位的稳定情况和地下水的埋藏条件。

9.3.2 勘探工作量的布置应符合下列规定:
   1 勘探点应按网格布置,当场地较大、地形平坦且层位稳定时,勘探点间距宜为 100m~200m;当场地较小、地形和层位变化较大时,勘探点间距宜为 50m~100m。
   2 当平原灰场或滩涂灰场的土料场与灰场相邻或位于库区时,料场勘测可结合灰场围堤勘测一并进行,必要时可根据料场的实际情况适当补充勘探点。

3 勘探深度应穿过有用层或超过最大开采深度。

9.3.3 土料勘测宜进行室内击实试验以及击实后抗剪强度试验和渗透试验。土料试验项目应符合本规程附录 A 的规定。

9.4 砂、卵(砾)石料勘测

9.4.1 砂、卵(砾)石料勘测可采用现场踏勘和工程地质调查为主,必要时可做少量的勘探和试验工作。

9.4.2 砂、卵(砾)石料勘测应包括下列内容:

1 了解可开采层的厚度、分布范围和储量大小,颗粒组成、颗粒级配和含泥量,有无胶结、覆盖层和泥质夹层等情况。

2 当在江、河滩地选取时,应了解料场的地表和地下水位变化幅度。

9.4.3 砂、卵(砾)石料勘测可选代表性的试样作颗粒分析试验。对砂料宜进行室内击实试验以及击实后抗剪强度试验和渗透试验。砂、卵(砾)石料试验项目应符合本规程附录 A 的规定。

9.5 储 量 计 算

9.5.1 筑坝材料的储量计算应在确定的储量计算范围内计算有用层的总体积。

9.5.2 各料场的储量计算应在平面图上圈定计算范围,其最大的周边界限不应大于勘探线间距的 0.5 倍或工程地质调查及实测剖面的有用层范围。计算的厚度应取实际勘探的有用层的厚度。

9.5.3 储量计算应考虑开采边坡坡度及运输条件的影响。

9.5.4 储量计算时可采用如下方法:

1 在有用层厚度变化较大的场地,应用三角形法。

2 在有用层厚度变化较小的场地,可用平均厚度法。

3 在勘探线近于平行排列的场地,可用平行断面法。

10 勘测方法

10.1 工程地质测绘与调查、勘探和原位测试

10.1.1 贮灰场勘测应根据场地复杂程度,结合岩土工程需要研究的问题,合理采用工程地质测绘与调查、勘探及原位测试等勘测方法。

10.1.2 工程地质测绘与调查应查明下列内容:

1 地形地貌特征、微地貌形态及其与地层、构造、不良地质作用之间的关系,地貌单元。

2 地层时代、成因类型,岩土层的名称、性质、厚度与变化规律,特殊性土与新近堆积土的分布及其特征。

3 岩体结构类型,节理裂隙的产状、发育密度、充填和胶结情况,岩土接触面与软弱夹层的特征,新构造活动的形迹及其与地震活动的关系。

4 滑坡、崩塌、泥石流、采空、地表塌陷、地面沉降、地震震害、地裂缝、岸边冲刷等不良地质作用和岩溶形态、岩溶通道及规模,以及对工程建设和环境污染的影响。

5 地下水的类型、埋藏条件及含水层的岩性特征,地表水与地下水的补给与排泄条件,井、泉及强透水层的分布,以及污染与腐蚀性情况。

6 筑坝材料的种类、性质、产地、储量、分布、埋深与开采、运输等条件,以及当地修堤筑坝的经验。

7 可用作防渗体的覆盖层分布范围、厚度及库区岩土体渗透系数。

10.1.3 选用勘探和原位测试方法应符合下列规定:

1 对于沟谷覆盖层薄、基岩埋藏浅且地下水位较深的坝基和坝肩地段,宜采用坑探或槽探。

2 为查明地基浅部的岩性界线、暗沟与软土的分布范围及洞穴的位置等,可使用小麻花钻探。

3 当坝基及库区建筑地段沟谷土层很厚时,为查明深部地质情况,控制地层变化,取得符合技术规格的岩土试样及提供进行专门试验用孔,应采用钻探。

4 当贮灰场地有隐伏的岩溶洞穴、暗浜、采空区和构造破碎带及基岩面起伏较大时,应进行工程物探,并结合工程地质调查与测绘或钻探成果进行综合判断。

5 对冲积、湖海相沉积的软弱土层地基以及灰渣土地基,宜进行静力触探。对碎石土及密实灰渣土地基,宜进行动力触探。对结构性强、灵敏度高的饱和软土,还应采用十字板剪力试验。

6 对砂土、粉土、灰渣土地基应进行标准贯入试验,必要时应进行波速测试。

7 在坝基表层存在强透水性的砂土、碎石土及灰渣土的情况下,宜进行现场简易渗水试验或注水试验。对基岩不宜作渗透性试验,有特殊要求时,可作压水试验。在岩溶发育的场地,可作连通性试验。

10.1.4 在钻探过程中,不应破坏反滤层、排水棱体、排渗褥垫、排洪卧管等防渗、排洪设施。

10.2 室 内 试 验

10.2.1 贮灰场勘测的室内岩石、土工试验应按岩土性质、建(构)筑物类型和筑坝材料需要确定。室内岩石、土工试验的项目应符合本规程附录 A 的规定。

10.2.2 对特殊性岩土,除应作常规的物理、力学性质试验外,还应按相关技术标准进行专门性试验。灰渣的室内土工试验应符合现行行业标准《粉煤灰试验规程》DLGJ 126 的规定。

10.2.3 对不易保持天然结构的试件应在现场进行土工试验。

10.2.4 土的抗剪强度试验应符合下列规定:

1 三轴剪切试验的试验方法应按下列条件确定：

1）对饱和黏性土，当加荷速率较快或为确定地基承载力时，宜采用自重压力下预固结的不固结不排水试验。

2）对加荷速率较低或确定超固结土的地基承载力时，可采用固结不排水试验。

3）当需验算坝体稳定性或需要提供有效应力抗剪强度指标时，应采用固结不排水测孔隙水压力试验。

4）对施工速率较慢或要求在稳态渗流条件下进行稳定分析的土堤坝，可采用固结排水试验。

5）当土样较少且制备试样较困难时，可采用一个试样多级加荷试验。

2 对二级、三级堤坝或其他建（构）筑物可进行直接剪切试验。试验方法应根据荷载类型、加荷速率及地基土的排水条件确定。

3 对于饱和软土应进行无侧限抗压强度试验。

4 测定滑坡体滑动破裂面的抗剪强度应进行反复剪切强度试验。

10.2.5 灰渣的抗剪强度试验应符合下列规定：

1 强度计算采用总应力法时，直接剪切宜采用固结快剪试验，三轴剪切宜采用固结不排水试验。

2 强度计算采用有效应力法时，三轴剪切宜采用固结排水试验。

10.2.6 进行坝基土、筑坝土料和灰渣土的固结试验时，其加荷等级和试验最大压力宜按土的性质和工程的实际需要确定。必要时，应提供一定数量的压缩特性曲线。灰渣土的固结系数可采用间接测定法。

10.2.7 对筑坝土料、砂料及灰渣料可通过击实试验确定最大干密度、最优含水量，并进行击实后相关试验。

10.2.8 堆石、石渣和土石混合等筑坝材料的物理力学性质指标可采用经验值。必要时，宜进行粗粒土试验。

11 岩土工程分析与勘测成品

11.1 岩土工程分析

11.1.1 贮灰场岩土工程分析评价应在查明场地工程地质条件、综合分析各项岩土工程勘测成果和测试数据的基础上，结合贮灰场建设条件和各类建(构)筑物特点进行。

11.1.2 岩土工程分析评价应包括下列内容：

    1 场地的稳定性和适宜性。

    2 贮灰场建设引起的环境地质问题及预防处理建议。

    3 岩土的工程性质、设计参数及地基方案设计建议。

    4 施工和运行中可能出现的岩土工程问题及其处理建议。

11.1.3 岩土工程分析评价应符合下列规定：

    1 应了解贮灰场的总体布置、贮灰方式、坝型、坝高、筑坝材料以及各建(构)筑物的类型、特点和基础设计情况。

    2 应合理划分地质单元和岩土层次，同一单元或同一层次内的岩土物理力学性质应基本相近。建议岩土参数时，应分析评价所选参数的可靠性和适宜性，并应分析岩土的非均匀性以及岩土性质随时间、环境、施工等因素变化特性。

    3 对活动断裂性质及区域地质稳定性、不良地质作用及其对场地稳定性的影响、环境地质问题的预测、工程建设的适宜性及其他尚不具备定量分析条件的岩土工程问题可仅作定性分析。

    4 定量分析应在定性分析的基础上进行，宜采用定值法，必要时可辅以概率法。对坝基变形量的预测、地基承载力的确定、边坡稳定性验算、基坑稳定性验算、地震液化等级的确定、特殊性岩土地基分类或分级指标等其他各种临界状态的判定应进行定量分析。

5 定性分析依据的条件和定量分析的计算指标应准确可靠。必要时,岩土工程分析评价的结果应根据岩土原体试验、施工检测和监测数据进行校正和调整。

6 分析论证坝基处理方案、不良地质作用和环境地质问题的整治方案时,应借鉴当地的工程经验。

11.1.4 岩土工程计算应符合下列规定:

1 按承载能力极限状态计算时,地基承载力和坝体稳定性、坝基整体稳定性评价可按有关设计标准的规定用分项系数或总安全系数方法计算,有经验时也可用隐含安全系数的抗力允许值进行计算。

2 按正常使用极限状态计算岩土体的变形、透水性、涌水量和渗入量等应以工程使用要求进行复核。

11.1.5 岩土工程分析可采用反分析方法,反求岩土体的特性和有关参数。

11.1.6 岩土参数分析应考虑取样方法、试验方法和取值标准的影响,并比较不同测试方法所得的结果,需要时应进行测试指标与深度、不同测试指标间的相关性分析。提供岩土工程分析评价、岩土工程设计、施工和监测使用的岩土参数应可靠、适用。

11.1.7 岩土参数统计应符合下列规定:

1 当地质条件复杂、灰场较大、各建筑地段分散时,可按坝址、排洪系统及筑坝材料场地,划分成三大区段和不同层位分别统计;同一层位或区段性质相差较大,还可进一步划分成不同单元体进行统计。

2 当灰场较小、各建筑地段岩土的物理力学性质相差不大时,可按不同层位分别统计。

3 筑坝材料应单独进行统计。

11.1.8 贮灰场岩土工程勘测报告应按下列不同情况提供岩土参数值:

1 初步可行性研究和可行性研究阶段勘测可提供经验值。

2 初步设计、施工图设计和子坝加高的勘测应提供岩土参数的平均值、变异系数、数值范围和数据的数量。

11.2 勘测成品

11.2.1 贮灰场岩土工程勘测的全部原始记录、数据以及搜集的有关资料应按现行行业标准《火力发电厂岩土工程勘测资料整编技术规定》DL/T 5093 的规定进行整理后,才能作为编制勘测成品的基本素材。

11.2.2 贮灰场岩土工程勘测报告的主要内容应包括:工程概况、勘测工作概况;贮灰场位置、地形地貌、地质构造、地层岩性、岩土物理力学性质、水文地质条件;不良地质作用及环境地质问题评价;地基处理方案评价;对各建(构)筑地段的稳定性和适宜性评价;筑坝材料的质量、储量和开采条件评价。

11.2.3 贮灰场岩土工程勘测报告应根据不同的勘测阶段、工程特点及其主要的岩土工程问题进行编写。各阶段勘测报告深度应符合下列要求:

1 初步可行性研究阶段勘测应简要阐明各贮灰场的工程地质条件和水文地质条件,提出贮灰场建设的有利和不利的地质条件,对贮灰场建设的适宜性及库区渗(泄)漏的可能性做出初步评价,提出贮灰场方案的比较意见和建议。

2 可行性研究阶段勘测应阐明各贮灰场的工程地质条件,评价库区渗(泄)漏的可能性,对灰场的成库条件及坝址的稳定性做出初步评价,建议坝轴线位置,提供可能的筑坝材料产地、开采条件和储量,提出不良地质作用的初步防治方案,推荐工程地质条件较优的贮灰场。

3 初步设计阶段勘测应阐明坝址区和主要排洪建(构)筑物地段地基条件、筑坝材料的质量和储量、隧洞的成洞条件、场内不良地质作用及环境地质问题,对坝址稳定性和建(构)筑物的地基稳定性做出评价,评价坝址区和主要排洪建(构)筑物地段地基方案，提出不良地质作用整治和地基处理等岩土工程建议。

4 施工图设计阶段勘测应具体阐明各建（构）筑地段地基岩土的类别、层次、分布及其物理力学性质，对各建（构）筑地段进行详细的岩土工程分析评价，对存在的主要岩土工程问题和不良地质作用提出明确的结论和整治措施建议。

5 子坝加高勘测应阐述灰渣的沉积堆填条件和特征，坝基灰渣土的物理力学特征、排水固结情况，灰渣筑坝性能，并根据前期坝的运行稳定情况，评价子坝加高的稳定性与适宜性，提出地基处理建议。

11.2.4 贮灰场岩土工程勘测报告及其所附的图表可根据不同勘测阶段的任务要求以及场地复杂程度的实际需要确定。贮灰场各阶段勘测所提交的成品应符合本规程附录 B 的规定。各种图表的编绘应符合现行行业标准《火力发电厂岩土工程勘测资料整编技术规定》DL/T 5093 和《电力工程勘测制图 第 2 部分：岩土工程》DL/T 5156.2 的规定。

12 现场检验与监测

12.1 现 场 检 验

12.1.1 现场检验应由岩土工程人员现场检查、验证基槽开挖后的地基条件是否与勘测报告相符,是否满足设计要求,并根据施工中出现的岩土工程问题提出处理意见。现场检验方法应以直观鉴定为主,必要时应通过专项施工勘测进行检验。

12.1.2 坝基检验应包括基底下地层岩性、地下水条件、特殊岩土及不良地质作用分布等内容。在岩溶发育地区,还应对岩溶、土洞的发育情况进行核实。

12.1.3 坝肩检验应包括开挖后的岩性、地质构造、水文地质条件,以及是否存在不利结构面、滑坡、崩塌和危岩等不良地质作用等内容。

12.1.4 排洪系统各建筑地段的地基检验应对基槽底的岩土性质和分布进行检查、验证。对工程地质条件复杂的排洪隧洞,宜配合设计与施工进行施工地质编录和检验。

12.1.5 现场检验应做好相关记录,并在本专业检验工作告一段落或全部结束后,进行阶段小结或总结,其内容宜包括:工程概况、地质条件概述、建筑物基础设计条件、现场检验方法、建筑物基坑开挖实施情况、相应处理措施与建议、开挖实际情况与勘测资料的差异及其原因分析、对勘测资料进行评价、总结地基检验经验、对勘测工作的建议以及必要的图表。

12.2 现 场 监 测

12.2.1 贮灰场现场监测可根据需要选择下列内容:

    1 贮灰坝体(基)运行期间稳定监测。

2 坝肩边坡稳定性监测。

3 排洪隧洞监测。

4 地下水监测。

12.2.2 贮灰坝体（基）监测工作应对可能影响坝体安全运行因素进行监测，并宜包括以下内容：

1 浸润线、渗流压力及渗流量等渗流监测。

2 坝体表面及内部的沉降、位移、倾斜等坝体（基）变形监测。

3 坝体、坝基岩土或粉煤灰的应力分布及变形速率等应力应变监测。

12.2.3 坝肩边坡稳定性监测主要包括变形观测和位移观测。监测工作应在获得完整、充分的岩土工程勘测资料基础上，通过采集、汇总和分析其观测数据，提出稳定性评价结果。

12.2.4 排洪隧洞监测应着重在围岩应力重新分布过程的观测，并分析研究应力变化和变形规律，预测预报围岩在施工、运行中的稳定性。监测工作应贯穿整个岩土施工过程，必要时延长至运行期一定时间。

12.2.5 在贮灰场施工及其运行期间，预计可能发生下列情况之一时，应进行地下水监测：

1 由于地下水位的升降，有可能改变岩土工程性质，并可能影响贮灰场坝体稳定及施工条件。

2 由于灰水渗（泄）漏，造成环境地下水水质严重污染。

3 由于地下水压、孔隙水压力变化对岩土工程施工产生严重影响，并导致设计变更。

12.2.6 地下水监测工作的布置应根据监测目的、场地条件、工程需要和水文地质条件确定。

附录 A 贮灰场室内试验项目

A.0.1 贮灰场室内岩石试验项目应按表 A.0.1 选择。

表 A.0.1 贮灰场室内岩石试验项目

建筑类型	岩石类型	重力密度		相对密度	吸水率	单轴抗压强度	软化系数	抗剪强度		胀缩性	崩解性	弹性模量	泊松比
		天然状态	干燥状态					黏聚力	摩擦角				
坝基及其他地基	硬质岩石	○		○		○	○	○	○				
	软质岩石	√	√	√	○	√	√	√	√	○	○		
排洪隧洞	硬质岩石	√		√		√	√	○	○			√	√
	软质岩石	√	√	√	○	√	○	√	√	○	○	√	√
筑坝材料	硬质岩石	√	○	○	○	√	○	○	○				
	软质岩石	√	√	√	√	√	○	○	○				

注：√表示一般应做的项目，○表示需要时选做的项目。

A.0.2 贮灰场室内土工试验项目应按表 A.0.2 选择。

表 A.0.2 贮灰场室内土工试验项目

建筑类型	土的分类	颗粒分析	天然含水量	重力密度		土粒相对密度	饱和度	孔隙比	液限	塑限	塑性指数	液性指数	相对密实度	压缩系数	压缩模量	渗透系数		临界坡降	固结系数
				天然状态	干燥状态											垂直	水平		
坝基	黏性土	√	√	√	√	√	√	√	√	√	√	√		√	√	○			
	粉土	√	√	√	√	√	√	√	√	√	√			√	√	○			
	砂土	√	√	√	√	√	√						○	○	○	√		○	
	灰渣土	√	√	√	√	√							√	√	√	√	○	○	√
排洪系统	黏性土		√	√	√	√	√	√	√	√	√	√		√	√	○			
	粉土	√	√	√	√	√	√	√	√	√	√			√	√	○			
	砂土	○	√	√	√	√	○						○	○	○	○			
筑坝材料	黏性土	√	√	√	√	√	√	√	√	√	√	√							
	粉土	√	√	√	√	√			√										
	砂土	√	√	√	√	○							○		○		○		
	卵砾石	○		○		○													
	灰渣土	√	√	√	√	√			√										√
	石渣土	○		○		○													

续表 A.0.2

建筑类型	土的分类	无侧限抗压强度	灵敏度	天然坡角 水下状态	天然坡角 干燥状态	抗剪强度 黏聚力	抗剪强度 内摩擦角	有机质含量	水溶盐含量	烧失量	击实 最大干密度	击实 最优含水量	击实后 渗透系数	击实后 临界坡降	击实后 压缩系数	击实后 压缩模量	击实后 黏聚力	击实后 内摩擦角
坝基	黏性土	○				√	√	○	○									
坝基	粉土					√	√	○										
坝基	砂土			√	√	○	○		○									
坝基	灰渣土	○	○	√	√	√	√			√								
排洪系统	黏性土					√	√	○	○									
排洪系统	粉土					√	√	○										
排洪系统	砂土			√	√	○	○											
筑坝材料	黏性土							○	○		√	√	√	○	○		√	√
筑坝材料	粉土										√	√						
筑坝材料	砂土			√	√						√	√						
筑坝材料	卵砾石										○	○				○		
筑坝材料	灰渣土			√	√					○	√	√	√	√	√	√	√	√
筑坝材料	石渣土							○								○		

注：√表示一般应做的项目，○表示需要时选做的项目。

附录 B 贮灰场各阶段勘测成品

表 B 贮灰场各阶段勘测成品

成品类别	勘测成品名称	初步可行性研究阶段	可行性研究阶段	初步设计阶段	施工图设计阶段
说明书	岩土工程勘测报告	√	√	√	√
平面图	勘探点平面布置图		○	√	√
平面图	灰场及筑坝材料地理位置图	○	○	○	○
平面图	综合工程地质图	○	○	○	○
平面图	地质调查图	○	○		
剖面图	工程地质剖面图		○	√	√
剖面图	地质柱状图		○	○	○
综合图表	原位测试成果图表		○	√	√
综合图表	岩土试验成果图表		○	√	√
综合图表	筑坝材料勘测综合成果图表		○	○	○
综合图表	岩土工程勘测综合说明及图表		○	○	○

注：√表示一般应提交，○表示需要时提交。

本标准用词说明

1 为便于在执行本标准条文时区别对待,对要求严格程度不同的用词说明如下:

1) 表示很严格,非这样做不可的:
正面词采用"必须",反面词采用"严禁";
2) 表示严格,在正常情况下均应这样做的:
正面词采用"应",反面词采用"不应"或"不得";
3) 表示允许稍有选择,在条件许可时首先应这样做的:
正面词采用"宜",反面词采用"不宜";
4) 表示有选择,在一定条件下可以这样做的,采用"可"。

2 条文中指明应按其他有关标准执行的写法为:"应符合……的规定"或"应按……执行"。

引用标准名录

《工程岩体分级标准》GB 50218
《火力发电厂岩土工程勘测资料整编技术规定》DL/T 5093
《电力工程勘测制图 第 2 部分:岩土工程》DL/T 5156.2
《粉煤灰试验规程》DLGJ 126

中华人民共和国电力行业标准

火力发电厂贮灰场岩土工程
勘测技术规程

DL/T 5097—2014
代替 DL/T 5097—1999

条 文 说 明

修 订 说 明

《火力发电厂贮灰场岩土工程勘测技术规程》DL/T 5097—2014 经国家能源局 2014 年 10 月 15 日以第 11 号公告批准发布。

本标准是在《火力发电厂贮灰场岩土工程勘测技术规程》DL/T 5097—1999 的基础上修订而成，上一版的主编单位是西南电力设计院，主要起草人有：曹卫东、黄益灵。

本次修订按《工程建设标准编写规定》（建标〔2008〕182 号）的规定进行编制，修订的主要内容包括：修改第 1 章范围为总则、修改第 2 章引用标准为术语；修改了建筑场地复杂程度划分标准；调整和修改了各阶段勘测的目的和任务要求；改变了原规程在初步设计阶段勘测工作基本到位、施工图设计阶段仅进行补充勘测的工作思路，以上两阶段勘测在章节安排和内容要求上发生了重大变化和调整，尤其是大量补充了施工图设计阶段勘测的内容；新增了灰渣泄漏评价的相关内容，且不再提倡利用塌陷区作为贮灰场建设场地；增加了灰场管理站勘测的内容；删除了下游贴坡加高勘测的内容；修改第 10 章为勘测方法，并增加了工程地质测绘与调查的内容；增加了修订说明；调整、修改了附录部分的组成和内容。

本标准修订过程中，编制组根据近年来除灰和贮灰方式的变化，调研了十年来国内贮灰场岩土工程勘测经验和技术成果，完成了《贮灰场勘测工作及手段专题调研报告》和《贮灰场子坝加高勘测经验专题调研报告》等两份专题调研报告。

为便于广大设计、施工、科研、学校等单位有关人员在使用本规范时能正确理解和执行条文规定，编制组按章、节、条顺序编制了本标准的条文说明,对条文规定的目的、依据以及执行中需注意的有关事项进行了说明。但是,本条文说明不具备与标准正文同等的法律效力,仅供使用者作为理解和把握标准规定的参考。

目 次

1 总　　则 …………………………………………………（49）
2 术　　语 …………………………………………………（50）
3 基本规定 …………………………………………………（51）
4 初步可行性研究阶段勘测 ………………………………（53）
5 可行性研究阶段勘测 ……………………………………（55）
6 初步设计阶段勘测 ………………………………………（58）
　6.1 一般规定 ……………………………………………（58）
　6.2 山谷灰场勘测 ………………………………………（60）
　6.3 平原灰场勘测 ………………………………………（62）
　6.4 滩涂灰场勘测 ………………………………………（62）
7 施工图设计阶段勘测 ……………………………………（63）
　7.1 一般规定 ……………………………………………（63）
　7.2 坝址勘测 ……………………………………………（64）
　7.3 排洪系统勘测 ………………………………………（64）
　7.4 灰场管理站勘测 ……………………………………（65）
8 子坝加高勘测 ……………………………………………（66）
9 筑坝材料勘测 ……………………………………………（71）
　9.1 一般规定 ……………………………………………（71）
　9.2 石料勘测 ……………………………………………（72）
　9.3 土料勘测 ……………………………………………（73）
　9.4 砂、卵(砾)石料勘测 …………………………………（74）
　9.5 储量计算 ……………………………………………（74）
10 勘测方法 ………………………………………………（76）
　10.1 工程地质测绘与调查、勘探和原位测试 …………（76）

  10.2　室内试验 ……………………………………………（76）
11　岩土工程分析与勘测成品 …………………………………（78）
  11.1　岩土工程分析 ………………………………………（78）
  11.2　勘测成品 ……………………………………………（79）
12　现场检验与监测 ……………………………………………（80）
  12.1　现场检验 ……………………………………………（80）
  12.2　现场监测 ……………………………………………（80）

1 总　　则

1.0.1 中华人民共和国国家经济贸易委员会于1999年8月2日发布、1999年10月1日实施的《火力发电厂贮灰场岩土工程勘测技术规程》DL/T 5097—1999，到目前已经运行了13年。一方面，近年来随着国家环境保护、水资源利用要求的不断提高，火力发电厂除灰方式逐渐由水力除灰向机械除灰方向转变，贮灰场设计亦由湿式贮灰场向干式贮灰场发展，我国火力发电厂建设中采用干式贮灰场已越来越广泛(约占90%以上)，贮灰场场地选择标准和设计条件发生了较大变化。另一方面，近年来火力发电厂贮灰场岩土工程勘测工作方法也发生了相应变化，各勘测单位在工程实践中也积累了一定的实践经验。因此，为规范火力发电厂贮灰场岩土工程勘测工作，有必要修订本标准。

1.0.2 本次修订取消了贮灰场岩土工程勘测中对火力发电厂机组容量的限制规定。

1.0.3 正确反映场地的工程地质条件、准确查明场地的不良地质作用和地质灾害是进行贮灰场岩土工程分析评价的前提条件。因此，必须精心勘测，并采用综合分析方法进行岩土工程分析评价。

1.0.4 本规程根据贮灰场的特点及其常见的岩土工程问题，对贮灰场岩土工程勘测作了相应的规定。在实际工作中，遇到本规程未规定或未作详细规定的，比如场地存在不良地质作用或分布有特殊性岩土时，还应按照国家或行业现行有关标准执行，并满足实际工作的需要。

2 术　　语

本标准修订过程中,引用和参考了电力行业标准《火力发电厂灰渣筑坝设计规范》DL/T 5045—2006 和《火力发电厂水工设计规范》DL/T 5339—2006 所用术语和有关规定。

3 基本规定

3.0.1 贮灰场不同类型的建(构)筑物对地形、地质条件和建筑材料的要求不同,岩土工程勘测人员应充分了解贮灰场设计条件,理解设计意图。

贮灰场岩土工程勘测不仅要查明场地工程地质条件,更重要的是依据设计方案并结合场地工程地质条件提出岩土工程评价和建议。

3.0.2 贮灰场岩土工程勘测方法的选用应注重针对性和有效性,既要针对场地岩土的特性,又要针对岩土工程需要研究解决的实际问题,以有效的勘测方法取得可靠的成果。当场地地质条件复杂时,为了保证研究结果的可靠性,尚需采用多种不同方法综合进行勘探和测试,从不同方面研究或互相验证同一结果。

3.0.3 按工程地质条件将贮灰场建筑场地复杂程度分为三类,是为了根据贮灰场按不同的工程地质条件合理地开展岩土工程勘测工作。

本次修订,修改了原规程的分类方法。在划分场地时,对于简单场地各种因素都应同时满足,对于复杂场地只需满足所列因素之一的即可,对于中等复杂场地则采取排除法确定。

3.0.4 本次修订,本着勘测阶段与设计阶段相适应的原则,初步设计、施工图设计阶段的内容要求与原规程相比发生了原则性的变化和调整。

本次修订取消了原规程第3.0.5条"对简单场地的贮灰场,初步可行性研究阶段勘测和可行性研究阶段勘测可酌情简化"的规定。

3.0.5 本次修订取消了原规程"贮灰场勘测宜在初步设计阶段完

成"的规定。仅当初步设计阶段各项设计条件已经落实的情况下，贮灰场在初步设计阶段可以进行一次性岩土工程勘测，但其勘测成果应满足施工图设计阶段深度的要求。

3.0.6 由于贮灰场容积增大和灰渣综合利用等原因，目前大多数贮灰场采用长期规划与短期实施相结合，分期或分块建设。当采用分期筑坝时，可行性研究阶段勘测应包括初期灰场和远期灰场，以满足最终建设规模的要求，而初步设计和施工图设计阶段勘测仅需满足本期筑坝要求。通常情况下，后期子坝加高属于单项工程，需业主另行委托进行专项勘测工作，但当后期子坝加高工程作为改、扩建发电项目的配套工程时，则应进行相应阶段的子坝加高勘测工作，以满足本期筑坝的需要。

鉴于干式贮灰场较湿式贮灰场在安全性、环保、节水等方面具有明显优势，近年来在我国火力发电厂建设中采用干式贮灰场已越来越广泛，故本次修订取消原规程"对采用干式除灰方式的贮灰场，勘测工作量可适当减少"的规定。

4 初步可行性研究阶段勘测

4.0.1 本条既是初步可行性研究阶段贮灰场岩土工程勘测的目的,同时也是《火力发电厂初步可行性研究报告内容深度规定》DL/T 5374—2008 所规定的内容。本阶段勘测不仅要初步查明贮灰场坝址的工程地质、水文地质条件,进行贮灰场建设的适宜性评价,还要初步评价灰场库区渗(泄)漏的可能性。本阶段做出适宜贮灰场建设的主要结论在下阶段不应被推翻。

近年来国家对环境保护的要求已越来越高,贮灰场勘测除要解决岩土工程问题外,还不可避免地要解决工程建设中涉及环境地质问题,比如灰渣泄漏、灰水(或灰渣渗出液、石膏浆液)渗漏等灰场渗(泄)漏问题,本阶段岩土工程勘测中也应提出初步的预防和处理意见。现行国家标准《一般工业固体废物贮存、处置场污染控制标准》GB 18599—2001 第 6.2 条规定,对Ⅱ类贮存、处置场,当天然基础层的渗透系数大于 1×10^{-7} cm/s 时,应采取天然或人工材料构筑防渗层。在自然条件下,大多数岩土层的渗透系数往往难以满足小于或等于 1×10^{-7} cm/s 的要求,故一般情况下贮灰场勘测均应提出库区防渗(泄)处理问题。

4.0.2 由于贮灰场建设条件的好坏将直接影响电厂的工程造价和经济效益,因此本阶段岩土工程勘测主要是配合设计专业开展贮灰场选址工作。

条文中列出了选择贮灰场时应考虑的地形、地质条件及有关要求,《火力发电厂水工设计规范》DL/T 5339—2006 也作了类似规定。考虑到塌陷区环境水文地质条件和地下水渗(泄)漏的复杂性,本次修订不再提倡利用其作为贮灰场建设场地。

4.0.3 本条列举了对坝址稳定性有严重影响或对建筑抗震危险

的地段,选择贮灰场坝址时必须避开。

4.0.4 本条除第1款外,均为对贮灰场建设的不利地段,不仅技术处理难度较大、投资较多,有时甚至处理效果不理想,因此宜尽可能避开。

4.0.5 本条规定了本阶段勘测应搜集的资料和现场踏勘调查的主要内容,为原规程的基本保留条文,内容略有调整。

5 可行性研究阶段勘测

5.0.1 本条规定了可行性研究阶段贮灰场岩土工程勘测的目的。查明贮贮灰场的工程地质、水文地质条件和贮灰场渗（泄）漏的可能性，也是《火力发电厂可行性研究报告内容深度规定》DL/T 5375—2008 所规定的内容。

本阶段岩土工程勘测重点是对贮灰场的成库条件和坝址稳定性做出初步评价。坝址稳定性一般包括以下三个方面：滑坡、崩塌、泥石流、岩溶、采空等不良地质作用对坝址区场地稳定性的影响；修筑堤坝和堆灰后上部坝体沿坝（堤）基、坝肩软弱土、液化土等产生的整体或局部滑移破坏；地下水渗流作用对坝体稳定性的影响。《火力发电厂灰渣筑坝设计规范》DL/T 5045—2006 规定，可行性研究阶段由于资料条件不足，坝址也未最终确定，设计专业可不进行稳定验算，设计时可参照类似灰场的资料对坝体稳定性进行规划。因此，本阶段勘测时，仅需要对影响坝址稳定性的以上三个方面进行初步评价，为贮灰场设计提供基本资料。

本阶段之所以要分析预测工程建设可能引起的环境地质问题，一方面为满足比选和推荐贮灰场的需要，另一方面是为环境评价工作及其专项治理提供一定的工作基础和立项依据。

当拟定厂址有一个以上可供选择的贮灰场时，为了对每个贮灰场的建设条件进行比较，对本期建设的所有贮灰场场地均应进行勘测，但对于远期灰场的勘测工作可适当简化。

5.0.3 本次修编对原规定内容进行了归并和修改。

（1）第 3 款有关渗（泄）漏问题。

目前，无论干式贮灰场还是湿式贮灰场，初期坝设计时大多采用透水坝型，坝体内设置有反滤、排水设施，坝体下游设置消能、沉灰设施,经处理后的灰水允许向下游排泄。而对于库区渗(泄)漏问题,按前文所述,仍应采取库区防渗(泄)处理。

本次修订,新增了有关灰渣泄漏的内容。将灰渣通过落水洞、溶蚀竖井、水平溶洞等各类岩溶通道所产生的灰渣集中泄漏,称为灰渣泄漏。如果处理措施不当会造成灰渣大范围坍塌或沉降,灰渣通过岩溶通道排泄,还可能会对下游地区地下水或地表水造成的重大环境污染。为防止灰渣、灰水沿岩溶通道泄漏,对堆灰高度以下的落水洞、溶蚀竖井、水平溶洞等岩溶通道,往往需要根据洞径规模大小,分别采用块石或毛石混凝土填塞措施,或采用混凝土封盖、围堵等结构措施。当浅部岩溶发育、地下水水位升降幅度较大时,还需埋设通气通道至灰渣表面,以避免造成虹吸负压,导致产生岩溶塌陷现象。

将灰水或灰渣渗出液、石膏浆液通过绕坝渗漏和库区渗漏向库外或下游渗漏,是一种面状或带状的液体渗漏,统称为灰水渗漏。可在堆灰前采用铺设土工薄膜或黏土层的预防性防渗措施。对于堆灰后产生的渗漏,则需要采取高压灌浆防渗板墙或混凝土防渗墙等治理性措施。

(2)第4款有关液化问题。

《建筑抗震设计计规范》GB 50011—2010规定,在地震设防烈度为6度时,一般情况下可不进行液化判别和处理,但对液化沉陷敏感的乙类建筑可按7度的要求进行判别和处理。《大中型火力发电厂设计规范》GB 50660—2011第19.2.3条规定,贮灰场的抗震设防分类为标准设防类(丙类)。查《火力发电厂水工设计规范》DL/T 5339—2006表B.1 水工建筑物抗震措施设防烈度调整表,贮灰场堤坝、排水及泄洪建(构)筑物的抗震设防烈度均采用本地区地震基本烈度,未作调整。鉴于以上原因,本规程明确了当地震基本烈度等于或大于Ⅶ度时才进行液化判别的规定,并适用于贮灰场初步设计、施工图设计阶段勘测。

5.0.4 通过调研发现,目前各勘测单位在本阶段勘测深度上存在一定差异，所投入的勘测工作量也有所不同。本次修订，在分析总结《贮灰场勘测工作及手段专题调研报告》的基础上，对本阶段勘测方法作了统一规定。

工程地质调查与测绘是可行性研究阶段勘测必不可少的基础工作。同时，应根据工程具体情况，采用少量勘探、测试和室内土工试验工作。在岩溶区、塌陷区灰场库区内进行物探工作，目的是查明库区范围内有无大规模岩溶通道和采空垮落带分布，以分析堆灰荷载作用下有无产生库区塌陷的可能性。

5.0.7、5.0.8 本阶段勘测应配合设计确定贮灰场坝址位置和坝型。《火力发电厂水工设规范》DL/T 5339—2006对选择坝轴线和坝型也作了相应的规定。

5.0.9 本条参考了《火力发电厂岩土工程勘测技术规程》DL/T 5074—2006供排水建筑物地段章节中有关选择隧洞位置的规定，并做了适当调整。

5.0.10 本条规定了可行性研究阶段岩土工程勘测评价和推荐贮灰场时应考虑的五项条件，以推荐工程地质条件、环境地质条件较好和投资相对较少的贮灰场。

5.0.11 贮灰场主要污染源为灰渣和灰水，分别对大气环境和地表水、地下水造成污染。当为满足环境评价及其后续环境治理工作需要所进行的环境地质勘测均属于环境评价、环境治理专项勘测，而非岩土工程勘测的工作范围。

6 初步设计阶段勘测

6.1 一般规定

6.1.1 本条规定了初步设计阶段贮灰场岩土工程勘测应达到的目的。

坝址稳定性评价是本阶段勘测的重要内容之一。有关坝址稳定性问题本条文说明第 5.0.1 条已做了详细说明。

关于坝体自身稳定性问题,《火力发电厂水工设计规范》DL/T 5339—2006 规定:坝体应进行渗流及渗流稳定计算、沉降计算和抗滑稳定计算。对于湿式贮灰场,《火力发电厂灰渣筑坝设计规范》DL/T 5045—2006 明确规定:初期坝稳定性验算时应结合子坝加高一并考虑,并在灰场设计阶段进行初期坝体和子坝加高后的抗滑稳定计算;子坝加高稳定验算时应进行子坝个体的稳定验算,以及连同灰渣地基和初期坝一起的坝体总(整)体稳定验算;子坝加高设计时应进行坝体静动力分析;坝体应进行渗流稳定计算,满足允许临界坡降和渗透稳定的要求,防止发生流土和管涌。对于干式贮灰场,相关设计规程也做了类似规定。因此,坝体稳定性验算是本阶段设计工作的内容之一,不应与坝址稳定性评价混为一谈。但本阶段初期坝勘测,应查明坝(堤)基、坝肩的地质条件,当地质条件较差时岩土专业也应进行必要的坝(堤)基抗滑稳定性和渗流稳定性计算,分析终期坝体的整体稳定性,为坝体设计提供依据。

6.1.3 有关坝(堤)基的抗滑稳定性和渗流稳定性问题,前文已做了说明。

本条第 8 款,对堤坝下游地段分析成库后灰水向坝址下游排泄或渗漏引起地下水条件可能产生的变化,主要包括地下水的水质和埋藏条件的影响,其中引起地下水位上升又是主要形式之一。如甘肃某电厂儒家庙灰场灰水排、渗至坝后原干沟内,导致下方约2km处地下水位上升,使住户房基、墙基受浸润,危及住房安全,同时部分农田也受到影响,最后采用截流方案进行处理。类似这样的情况还不少,因此为避免贮灰场运行中产生不利影响,就必须在勘测、设计中正确的分析和预测可能产生的环境地质问题,并提出处理建议。

6.1.4 场地的抗震设防烈度等于或大于 6 度时,按《岩土工程勘察规范》GB 50021 和《建筑抗震设计规范》GB 50011 的规定应进行场地地震效应评价。

根据本规程条文说明第 5.0.3 条解释,仅当地震基本烈度等于或大于Ⅶ度时,才需进行液化和震陷判别。

6.1.5 通过调研发现,目前各勘测单位在初步设计阶段勘测深度、勘测方法上存在较大差异,所投入的勘测工作量也有较大差异,少部分单位较严格执行原规程的初勘时勘测工作基本到位的工作思路,而大部分单位为适应勘测阶段与设计阶段相适应的形势变化,适时采取了初勘仅布置适量的勘测工作、施工图勘测时再进行详细勘测的工作思路。本次修订,在分析总结《贮灰场勘测工作及手段专题调研报告》的基础上,采用了先适量、后详细的勘测工作思路,对本阶段勘测方法和工作量布置作了统一规定。

当山谷灰场坝址、库区或其他建(构)筑物场地地质条件复杂时,进行工程地质测绘是查明场地基本地质情况的重要手段,并为有针对性地布置勘探工作提供依据。

6.1.6 本次修订,取消了利用塌陷区的有关内容。

6.1.7 在库区进行工程地质调查的目的是查明库区是否存在可能导致灰水渗漏、灰渣泄漏的地质条件,并应重点查明贮灰场各地层的渗透性和可能的集中泄漏通道。

6.1.8 当坝基范围内分布有软弱土、液化土及湿陷性土时,其地基强度、变形和坝体稳定性往往难以满足设计要求,需要进行地基处理方案的分析论证。可根据场地的岩土条件、建筑材料、施工条件、环境条件等方面情况,选用浅部超挖换填、碾压、挤淤、预压、振冲、挤密、灌浆等地基处理方法,分析论证各比较方案的优缺点,同时,进行必要的坝(堤)基抗滑稳定性计算,以推荐适宜的坝基处理方案。《火力发电厂灰渣筑坝设计规范》DL/T 5045—2006 第5.12节对坝基处理方法也作了具体规定,可参考借鉴。

试验是优化坝基处理方案的重要手段,缺乏经验时应选用代表地段进行原体试验,以确定其适宜性、处理效果以及设计、施工工艺参数。

6.2 山谷灰场勘测

6.2.1 山谷灰场是指利用山区、丘陵区的沟谷、洼地、黄土塬沟壑等自然地形,并根据需要在地势较低处修筑挡灰坝的贮灰场地。由于地形地质条件一般较为复杂,终期坝高度大,坝址的稳定性是山谷灰场的主要岩土工程问题之一,也是本阶段山谷灰场勘测的工作重点。

6.2.2 坝址勘探线的布置除了要查明坝基岩土的条件外,还要考虑坝基的受力和坝体稳定性验算的需要,因此它是与场地地质条件的复杂程度和拟建坝型坝坡的稳定有关的,为满足最终坝高整体稳定性验算的需要而布置的勘探线,应能满足做出终期坝坝基与坝肩的岩土工程分析评价的需要。根据这一原则,对采用分期筑坝的湿式贮灰场,当坝基为软弱土层或液化层时,就要求在上游坝高最大的坝轴线(终期坝)位置和下游坡脚外 0.5 倍初期坝坝基宽度处布置勘探点,以满足整体稳定性验算的需要。

本条所称的软弱土层(如淤泥、淤泥质土、泥炭、泥炭质土、冲填土、杂填土及其他高压缩性土)来源于《建筑地基基础设计规范》GB 50007—2011,本规程中多处引用该术语,括号内解释后文不再赘述。

6.2.3 本次修订,考虑了贮灰场勘测工作的阶段性,本阶段勘探点的间距作了调整、放大。

6.2.4 勘探深度的确定主要考虑到坝基稳定性验算、地基沉降变形和地震液化计算的需要。

根据对湿式贮灰场坝坡为1∶2.00的均质土灰坝坝基稳定性验算表明,当坝基下的土层为淤泥或呈流塑状态(内摩擦角相当于5°)时,其产生最危险的圆弧滑动面的深度一般相当于1/3～1/2倍坝高,最大深度一般不超过3/4倍坝高的深度。因此对于山谷灰场灰坝体及坝基的稳定来说,勘探深度超过坝基土出现最危险滑动面可能达到的最大深度就可以了,最大勘探深度一般不超过1.0倍坝高。当终期坝远远超过初期坝高度时,最大勘探深度一般也不超过0.5倍坝高。本次修订对湿式贮灰场的勘探深度基本上未作调整。

近年来,大多电厂已采用干式贮灰场,并采用多级子坝加高,一般5级～7级子坝,最多已达9级～10级子坝,初期坝高度一般在10m左右。本次修订,新增了对干式贮灰场的勘探深度规定。

由于湿式贮灰场的初期坝高远大于干式贮灰场,湿式贮灰场0.5倍坝高也往往大于干式贮灰场1.0倍初期坝高度,因此,不应简单地理解为对干式贮灰场的勘探深度要求大于湿式贮灰场。

对排洪竖井、排洪卧管等主要排洪建(构)筑物,考虑到堆灰作用下可能产生的沉降变形,其勘探深度也应按本条前二款的规定执行。

现行《建筑抗震设计规范》GB 50011—2010规定地震液化计算深度为地面以下20m范围,因此,当遇有液化土层时,勘探深度不应小于20m。

本条所称的坚实土层(如碎石土、密实砂、老沉积土等)来源于《岩土工程勘察规范》GB 50021—2001(2009年版),本规程中多处引用该术语,括号内解释后文不再赘述。

6.2.5 在废弃堤坝开展勘探工作,应采用黏土球、水泥浆、素混凝土等填料,做好钻孔回填工作。

6.3 平原灰场勘测

6.3.1 平原灰场是指在戈壁滩、山前冲洪积扇、冲积平原、阶地等地形相对平缓地区修筑围堤所形成的贮灰场地。平原灰场在西北地区尤其是新疆、甘肃和内蒙古地区比较多见,且多为干式贮灰场。

6.3.2 平原灰场多数地貌较单一,地层一般变化不大,因此,可在围堤轴线位置布置一条勘探线。勘探点除满足一般规定外,应重点布置在围堤轴线转角、高填、深挖、冲沟等地段,主要是从围堤地基处理工程量和稳定性验算方面考虑。

6.3.3 平原灰场的范围各工程大小不一,相差较大,大的达1000m×2000m,小的仅200m×300m。勘探深度规定主要考虑了目前平原灰场围堤高度一般不超过8m,最大10m～15m的实际情况,以及堤基稳定性验算和控制主要受力层的要求。

6.4 滩涂灰场勘测

6.4.1 滩涂是海滩、河滩和湖滩的总称,是地面高程介于高潮位、低潮位之间或常水位、洪水位间的过渡地带。滩涂地段大多分布有软土、液化土,地基强度低,一般需要进行地基处理。当围堤高度大于5m时,往往需要进行抗滑稳定性分析计算。

6.4.2 滩涂灰场上部地层一般堆积时间短、性质较差,本阶段可沿围堤轴线布置一条勘探线。

6.4.3 勘探点的间距和深度应按围堤高度、场地和地基的复杂程度综合考虑,简单场地取大值、复杂场地取小值。勘探深度参考了《堤防工程地质勘察规程》SL 188—2005 的规定,当遇软弱土层、液化土层、强透水层或围堤一侧受常年或季节性水位影响时,勘探深度应适当加深,必要时控制孔查明软土厚度,以满足坝体沉降变形计算和稳定性计算的要求。

6.4.4 当滩涂灰场毗邻丘陵或山地且有外来洪水时,设计要求设置截洪沟。勘探要求参考了本规程第6.2节山谷灰场的有关规定。

7 施工图设计阶段勘测

7.1 一 般 规 定

7.1.1 本次修订,在章节安排和内容要求上与原规程相比发生了原则性的变化和调整,对施工图设计阶段勘测的技术内容做了大量补充。

贮灰场施工图设计阶段勘测的目的是为贮灰场的施工图设计提供的详细的岩土工程勘测资料。勘测特点一是对已确定的建(构)筑物总平面布置针对性开展工作,其二是坝址区地基处理方案、贮灰场范围内各类不良地质作用和环境地质问题的整治方案等已基本确定,通过本阶段勘测工作提出详细的岩土工程处理措施和建议。

对初步设计阶段勘测遗留的各类岩土工程问题,本阶段勘测均要进一步落实解决。

7.1.2 本阶段勘测一方面要消化和利用已有勘测资料,另一方面作为勘测工作的依据,必须了解设计提供的技术条件和具体要求。

7.1.3 本阶段勘测除需要详细查明贮灰场内各建(构)筑物地段的工程地质条件、进行岩土工程分析评价外,还应查明与贮灰场建设相关的贮灰场范围内的环境地质问题,提出防止灰渣集中泄漏、石膏浆液和灰渣渗出液渗漏的结构措施以及库内泉水疏导等措施。

7.1.4 原规程第10.1.3条的保留条文,但内容有所调整。

7.1.6 当贮灰场库区地质条件复杂,为满足不良地质作用整治、堆灰荷载作用下稳定性分析和采取防渗措施的需要,可在库区布置适当的勘探、试验工作。

7.2 坝址勘测

7.2.1 本条规定了贮灰场坝址勘测的重点。贮灰场坝址勘测范围应包括山谷灰场的初期挡灰坝、石膏隔离坝、拦洪坝、平原灰场围堤等与本期工程建设相关的各类坝址。

关于坝(堤)基的整体稳定性,主要指筑坝、堆灰或子坝加高后沿坝(堤)基产生的整体滑移和渗流破坏,导致整个坝(堤)体的破坏失稳。设计规范规定了在进行初期坝设计时应结合子坝加高一并考虑坝体的整体稳定性。因此,初期坝勘测时也应分析终期坝体的整体稳定性,为设计提供依据。

7.2.2~7.2.4 通过对贮灰场岩土工程勘测现状的调研发现,目前各勘测单位在本阶段坝址勘测深度上存在一定差异,所投入的勘测工作量也有所差异。本次修订,在分析《贮灰场勘测工作及手段专题调研报告》的基础上,对施工图设计阶段坝址勘测时勘探点布置和勘探深度作了统一规定。

当本阶段坝址方案与初勘一致时,应在利用初勘资料的基础上,按本阶段要求适当补充布置勘探线和勘探点。当本阶段坝址方案与初勘变化较大或堤、坝轴线变化较大时,应重新布置勘探工作量。

7.3 排洪系统勘测

7.3.1 本条规定了山谷灰场排洪系统勘测的重点。山谷灰场贮灰场排洪系统一般包括排洪竖井、连接井、排洪斜槽、排洪卧管、排洪明渠、截洪沟、消能设施等排水泄洪设施。排洪构筑物的地基稳定性、堆灰荷载作用下的地基变性及其对地下排洪设施的影响、截洪沟与消能设施的边坡稳定性及其抗冲刷能力等问题均是本阶段岩土工程勘测需要解决重点的问题。

7.3.2、7.3.3 本次修订,对排洪系统勘探点布置和勘探深度作了统一规定。

7.3.4 通过调研发现,目前大部分发电工程均采用干贮灰方式,其防洪标准、排洪设施大多参照水力贮灰场确定,采用排洪隧洞进行排洪的工程已较为少见,但为保持本规程的完整性,本次修订仍保留了排洪隧道勘测的内容。而评价隧洞进出口处、隧洞浅埋地段、不良地质作用发育和特殊性岩土分布地段的隧洞稳定性,是排洪隧洞勘测的重点。

7.3.5 本条引用了原规程初步设计阶段有关排洪隧洞勘测的基本内容,但对其内容进行了归并和适当修改。采用沿洞轴线进行工程地质调查或测绘是排洪隧洞勘测和洞室稳定性评价的一项基础性工作。但对地形、地质条件复杂的地段,如隧洞进出口处、隧洞浅埋、不良地质作用发育和特殊性岩土分布等对洞室稳定性不利的地段,仍需要进行合理的勘探、取样和室内试验等工作。

7.3.6 现行国家标准《工程岩体分级标准》GB 50218 已建立了一套行之有效评价地下工程岩体自稳能力的方法,而进行勘探和取样、试验,是进行岩体基本质量分级、确定工程岩体级别、评价岩体自稳能力的必不可少的基础工作。

7.4 灰场管理站勘测

7.4.1 本次修订,新增了灰场管理站勘测的内容。灰场管理站一般包括生产办公设施、生产附属设施、生活设施等,其平面范围一般小于 40m×60m,多为单层或两层建筑,荷重较小。山谷灰场管理站勘测应对边坡稳定或采空、岩溶等场地稳定性做出评价。

8 子坝加高勘测

8.0.1 子坝加高勘测系指在贮灰场坝前沉积或堆填灰渣上加筑子坝的勘测,随贮灰高度的增加,实施分级加高分期勘测。由于前期坝地段的地质条件已经勘测查明,因此,子坝加高的勘测,应重点查明加高子坝地段的工程地质条件。

灰渣是燃煤电厂的废弃物,按成因分类属于特殊类土中的人工填土,湿式贮灰场的灰渣可视为冲填土,干式贮灰场的灰渣可视为压实填土。由于灰渣的工程特性与各电厂煤质、燃烧工艺和除灰工艺、排灰口位置等密切相关,从众多的电厂灰渣的相关分析表明,各电厂的灰渣无论在化学成分,还是在颗粒组成等方面均存在较大差异。因此,灰渣土的性质特殊,查明拟建坝基地段灰渣的沉积堆填特征、物理力学性质是子坝加高勘测工作的重点。

据本次修订完成的《贮灰场子坝加高勘测经验专题调研报告》,绝大多数灰场是在坝前上游灰渣面上直接加筑的。采用下游贴坡加高的项目很少,且这类勘测大多可利用前期坝的勘测资料,补充少量勘探工作,勘测方法基本与前期坝一致。现行贮灰场设计规范中也没有相关内容,本次修订取消了原规程第8章第2节"下游贴坡加高勘测"的技术规定内容。为呼应《火力发电厂灰渣筑坝设计规范》DL/T 5045,本次修订将本章更名为"子坝加高勘测"。

8.0.2 专题调研表明,山谷灰场子坝加高最终级数多在5级~7级,子坝高度一般10m左右。平原及滩涂灰场一般仅进行一级子坝加高,加高高度一般为5m。多数子坝加高勘测是分期进场的,且要求一次性满足施工图设计的深度要求。

8.0.3 子坝加高是建立在原有坝体的基础上,前期坝坝体的现状是否良好，直接影响到加高的适宜性和加高方式，在勘测工作前，除了解前期勘测资料外，还要了解原有坝体的施工、运行和渗漏、变形和加固稳定情况。

收集原始地形图有助于了解场地原始地形地貌特征、堆灰厚度，便于计划钻孔深度。关注前级坝的坝体剖面图和地下设施竣工图，使钻孔有效地避开地下排洪、防渗设施，以免造成事故。了解坝前积水和堆灰标高是否达到设计子坝的坝基底标高，落实子坝加高勘测进场条件。

湿式贮灰场的灰渣，其沉积特征与水流条件密切相关，灰渣的颗粒大小与排灰口的距离有关。而干式贮灰场的灰渣，其灰渣的特性与灰场推填机械的运行方式和管理有关（铺灰厚度、碾压遍数、碾压机具等），干式贮灰场的灰渣的密实度具明显的不均匀性。勘测经验表明，干式贮灰场的子坝加高勘测中，由于碾压硬壳层的影响，静力触探可能难以探入预定深度，往往要补充采用动力触探方法。因此，不同的除灰方式，勘测方法有所不同。

8.0.4 本规程条文说明第 7.2.1 条指出，初期坝勘测、设计时已一并考虑了坝体加高后的整体稳定性，因此，子坝加高勘测可不再进行坝体的整体稳定性评价，但当勘测发现前期坝坝体已产生变形和渗漏、滑动破坏时，则需要分析病害原因和发展趋势，考虑子坝加高后坝体整体稳定性问题，评价子坝加高的适宜与否。对分析后认为不适宜子坝加高的病坝，需要进行病坝专项治理，否则不宜进行后续的子坝加高工作。此时，应向业主和设计方提出开展病坝治理专项勘测的建议。

8.0.5 子坝加高勘测时，一般情况下不宜在前期坝体上进行勘探工作，以避免破坏坝体防渗层与坝体稳定性。

由于山谷灰场的原始地形、灰渣土的性质和下伏岩土的分布等地质条件变化较大，不均匀性问题突出，因此，勘探工作量布置的原则，视贮灰场类型有不同的要求。

增加垂直子坝轴线方向的勘探线，主要是为满足子坝上游坝坡稳定性验算的需要。如勘测过程中发现灰渣土工程性质较差或极不均匀时,根据需要适时增加垂直坝轴线方向的勘探线。

一般情况下,勘探点深度宜为1.0倍坝高,当坝基下存在软弱土时,勘探点深度还应满足坝基稳定性验算的需要;湿式贮灰场内的灰渣往往具有液化特征,勘探点深度还应满足液化评价的相关技术要求,但不得揭穿前期坝原坝体护坡层和防渗层。

8.0.6 专题调研表明,原位测试方法中,静力触探、动力触探和标准贯入是主要的测试方法。工程经验表明,由于干灰场的灰渣经过碾压后往往会形成板结硬层或其下部存在胶结状态,标贯试验可能出现反弹,静力触探可能无法下锚或难以探入,往往要调整为动力触探试验才能达到预定勘探深度。

因灰渣土极易被扰动,特别是在地下水位以下的灰渣,孔壁极易垮塌,钻孔中取原状样的难度很大,因此,子坝加高勘测应着重采用原位测试方法,土工试验成果仅作参考。

灰渣土的密实度划分主要依靠原位测试的数据成果,当采用多种原位测试时,宜布置适量的对比性勘探点,目的是通过不同原位测试成果的对比,分析数据成果之间的相关性,从而分析、总结适合本工程的灰渣密实度划分标准和承载力经验关系。

8.0.7 由于灰渣具有质轻、比重小、颗粒多孔洞、粒径组成近粉细砂或粉土的特点,因此,灰渣极易被扰动,即使采用了环刀取土器,在冲击过程中仍然存在对灰样的扰动,因此,钻探取原状灰样难度大,因此,应尽量采用探井内环刀取样。又由于粉煤灰具多孔结构,当含水量较大时,其水分极易损失,在地下水位以下进行钻孔取样时,钻具提升、土样存放和运输过程中,灰渣样很难保持天然的含水量,从而影响灰渣含水量指标的测定。因此,对湿式贮灰场的灰渣,建议作现场土工试验,便于指导室内土工试验的配制。

剪切试验方法要与稳定性验算方法相适应,可参照《火力发电厂灰渣筑坝设计规范》DL/T 5045—2006 表A.1选用。依据设计要求,剪切试验还可按饱和(水下)和非饱和状态(水上)分别试验。

8.0.8 在显微镜下,灰渣是由不同形状的玻璃体、结晶体和碳颗粒聚集成的独特结构,其粒径近似于粉细砂或粉土,但其天然密度远小于粉土和粉细砂,原理上,灰渣更易于液化。大量分析表明在地震区灰渣地基上建坝,处于饱和状态的灰渣,震动易于液化,多存在坝基液化问题。现行《建筑抗震设计规范》GB 50011—2010 仅规定了饱和粉土和饱和砂土的液化判别标准,对灰渣没有明确规定。调研表明,目前子坝加高勘测报告中,对于灰渣土均按《建筑抗震设计规范》GB 50011—2010 中粉土和砂土的判别标准进行的,鉴于江油电厂四灰场在"5.12"汶川特大地震中出现了数个直径十余米大的液化塌陷坑,与勘测报告评价得出的判别结论相符。因此认为,目前情况下灰渣土的液化判别方法参照饱和砂土的判别方法是可行的,但需要在今后工程实践中不断总结。

8.0.9 灰渣是一种特殊填土,国内目前对灰渣的特性研究多注重于灰渣的综合利用方面,或作为建筑材料的掺合料的研究方面,在电力行业中,子坝加高勘测的项目占灰场勘测项目的比重小,对灰渣地基的勘测和评价方面的文献也较少。关于灰渣密实度如何划分、承载力和变形性的参数如何确定等方面的问题,目前国内国外尚没有相关标准,也缺乏灰渣土载荷试验资料。各勘测单位多参考砂土或粉土的相关标准进行评价,评价依据多属于经验性的。因此,对灰渣地基土承载力的确定,要依据多种测试手段,综合分析后确定。

8.0.11 灰渣地基处理多采用填石碾压加固,必要时可采用铺设加筋布、土工格栅、排水砂井、振冲碎石桩、振动挤密灰土桩等处理措施。专题调研表明,填石碾压加固方法简单易行,处理效果较好。当灰渣地基存在液化可能时,可采用振冲碎石桩、振动挤密灰土桩等处理措施。江油电厂四灰场子坝加高修建过程中,恰遇"5.12"汶川特大地震,该子坝坝基下因采用了干振碎石桩消除液化加固处理,子坝坝基未出现任何问题。

8.0.12 灰渣的击实试验曲线比一般土类显得较平缓,最优含水量一般在 28%～35%。大量灰渣碾压试验表明：当含水量达到上述范围值时，灰渣的压实系数变化不大，因此，灰渣的碾压施工质量易于控制，处理效果好。灰渣是很好的子坝筑坝材料，就地取材，经济适用。由于室内击实试验与现场碾压试验的能量和边界条件差异较大，因此，灰渣筑坝施工前还应进行现场碾压试验。

9 筑坝材料勘测

9.1 一 般 规 定

9.1.1 筑坝材料是指用作坝体、排渗体、防渗体、护面、反滤层的石料、土料、砂卵(砾)石料及灰渣料的总称。本条所规定内容也是《火力发电厂灰渣筑坝设计规范》DL/T 5045—2006 第 5.4.2 条选用筑坝材料时要求查明的内容。

9.1.2 选择筑坝材料场时,应首先考虑利用当地材料。

贮灰场内取料有利于扩大库容、减少运输和降低工程造价。环境保护是科学发展观的重要组成部分,耕地是人类的宝贵资源,节约耕地和环境保护则是体现国民经济可持续发展的一个重要指标。所选料场应对植被破坏和环境影响较小,便于采取措施保护、恢复自然生态环境。开采运输方便主要是指无用层开挖量小、开采面有较好的施工作业条件、料场与灰坝的距离短、有与灰场相连的交通道路等。

9.1.3 对于土石坝所需的土料,要求其具压实强度高、水理性质稳定的工程特性。工程实践表明,也可采用一些特殊性岩土用作筑坝材料,如膨胀岩土、盐渍土、湿陷性黄土等,但由于其水稳性较差,需要采取适当的改良措施,如添加石灰粉混合料、土工合成等措施,这些特殊岩土经改良后也可以用于修堤筑坝,但由于改良效果差,不宜采用淤泥、冻土以及有机质含量超过5%、水溶盐(指易溶盐和中溶盐)含量超过8%等特殊性土作筑坝材料。由于具开采方便、水稳性好、级配较好、易于压实等特征,近年来,采用风化残积土作土石坝坝料的工程实例较多,也不乏采用红黏土作坝料的工程实例。

9.1.4 通过工程地质调查或测绘,可以了解地貌形态,第四系堆积物的成因、类型，各类岩土层的地层岩性、风化情况等，为分析评价各种天然建筑材料的质量和开展勘探、试验工作提供基础资料。本次修订，根据目前灰场勘测的实际情况，为了与不同设计阶段具有的地形图比例尺相适应，对进行工程地质调查或测绘所用比例尺的范围作了相应的调整。

9.1.5 开采边坡对周围环境和建（构）筑物布置、安全等影响是选择料场的重要因素之一，特别是在自然山坡陡、稳定性差的高山区应进行必要的分析评价，并提出相应的治理措施或工程建议。在库内岩溶、土洞发育地段的黏性土和粉土等天然覆盖层是天然良好的防渗体，破坏了这些土层，易造成贮灰场的渗漏，甚至直接导致灰渣泄漏。在坝基、坝肩附近地段开采筑坝材料对坝基和坝肩的渗漏和稳定可能造成不良影响，一般不应选作坝料。

9.1.6 这是考虑到料场勘探的储量，在施工和运输的过程中以及其他地质条件等因素的影响可能会有误差和损失。

9.1.8 筑坝土试料的选取应在料场的有用层中均匀分布，目的是使选取的土料具有代表性。

9.1.9 本条为新增条文，采用了《火力发电厂灰渣筑坝设计规范》DL/T 5045的相关规定。对于石渣料、堆石料、卵（砾）石料等巨粒土石料，无法通过常规的室内击实试验求得其最大干密度，只能通过现场压实试验或室内大型击实试验等试验求得，而勘测期间无实施此类试验的条件，且往往需要大量工程费用，而需要在施工之前进行专项试验，故不属于筑坝材料勘测范围。

9.2 石料勘测

9.2.1～9.2.4 石料勘测一般采用工程地质调查，为配合储量计算，可进行实测剖面和少量勘探工作。除了查明岩石的物理、力学性质外，还应查明岩层层厚、产状、裂隙切割状况及风化程度。这些条件与石料的开采尺寸和强度的大小有关，直接影响到坝型的选择和结构设计。在岩溶发育地区，溶沟、石芽等地表岩溶和溶洞、溶缝及地下岩溶中的充填物对料场的储量、质量有较大影响，有条件时，应尽量避免选用岩溶发育的地段作为料源。

不同的坝型和用途，对石料的要求不一样，在勘测中一定要了解石料的用途和对石料的要求。准确估算剥离层、无用层厚度及方量，可有效地控制有用层勘探储量的误差。

无论是湿式贮灰场还是干式贮灰场，砌石坝、堆石坝的坝体材料和排渗体石料、护面石料，对岩石的抗压强度、风化系数、软化系数均有较高的质量要求，有关设计规范均有明确规定，如对用于砌石坝、堆石坝的坝体材料，要求抗压强度大于30MPa、风化系数大于0.75、软化系数大于0.80；对排渗体石料，要求抗压强度大于40MPa、风化系数大于0.80、软化系数大于0.85；对护面石料，要求抗压强度大于30MPa、风化系数大于0.80、软化系数大于0.80。而对于石渣坝所需的石料，一般情况下各种开挖石渣或风化岩体均可采用，但设计规范对风化系数、软化系数也有一定要求。

9.3 土料勘测

9.3.1、9.3.2 土料是黏性土料和粉土料的总称，属细粒土料。土料勘测，主要是进行勘探工作，以查明土的物理力学性质、有用层厚度、分布范围、层位的稳定情况和地下水的埋藏条件。勘探点的布置应因地制宜，在有条件时，应按网格布置，以便于储量的估算。本次修订，根据筑坝土料勘测工作调研的实际情况并参考水电行业料场勘测经验，对勘探点的间距作了调整。勘探深度，应穿过有用层，当有用层很厚时，其深度则应考虑有利于开采和设计的需要量进行合理确定。

平原灰场围堤的高度不大，筑坝土料一般选用当地材料，就地采取。本次修订，根据西北地区围堤灰场的实际工作经验，提出了料场勘测可结合灰场围堤勘测一并进行，必要时可根据料场的实际情况补充勘探点的规定。

9.3.3 土料室内试验除进行常规物理力学指标外,还应进行室内击实试验确定土料的最大干密度和最优含水量,根据设计不同压实系数的要求进行击实后抗剪强度和渗透试验。

9.4 砂、卵(砾)石料勘测

9.4.1、9.4.2 砂、卵(砾)石料主要是用作反滤层用,其用量一般较少,可采用现场踏勘和工程地质调查的方法就近选取。

自然沉积的砂、卵(砾)石料,各种粒径的颗粒都有,颗粒级配较好,一般均能满足设置反滤层的要求。在特殊情况下,考虑到作反滤层的填料既要能排水,又要能阻挡细小颗粒灰渣或土粒的流失,就必须查明其颗粒组成、大致的级配和含泥量等情况。

9.4.3 砂、卵(砾)石料作为坝体材料时,除选代表性的试样作颗粒分析及易溶盐含量等试验外,还应进行现场回填碾压原体试验和渗透性试验等确定相关设计和施工工艺参数。砂粒土料的最大干密度可采用常规室内击实试验确定,有条件时应进行此类试验。

9.5 储 量 计 算

9.5.1～9.5.4 筑坝材料的储量计算,实际上是一种估算。为提高储量计算的可靠性,在平面图上圈定计算范围的最大周边界限,不应大于勘探线间距的 0.5 倍或工程地质调查及实测剖面的有用层范围。

平均厚度法指用储量计算范围内的总面积乘有用层的平均厚度的方法。平行断面法指相邻两断面面积平均值乘断面间平均距离,求出两断面间的分段储量,然后总和各分段的储量的方法。三角形法是将勘探点联成三角形网点,各三角形面积乘以其三顶点平均厚度,分别求得三角形部分储量,然后总和各三角形的储量的方法。

平均厚度法、平行断面法和三角形法,无论采用哪种计算方法,都不能达到很精确的程度。其中主要的影响因素有:勘探工作的精度;地形的变化;有用层上下界面的起伏和层位的稳定等。因此,在确定储量计算范围时,其周边界限和计算深度方面应适当留有余度。

开采边坡坡度和开采运输条件是料场选择的重要因素。特别是在自然山坡陡,稳定性差的高山区更要重视这一关键因素。

10 勘测方法

10.1 工程地质测绘与调查、勘探和原位测试

10.1.1 本次修订增加了工程地质测绘与调查的内容。

10.1.2 新增条文,规定了工程地质测绘与调查应包括的内容。除常规内容外,还规定了要求查明筑坝材料和防渗土层的内容。

10.1.3 原规程的保留条文,但内容略有调整。

10.1.4 新增条文,增加了防止破坏坝体、防渗体和排洪设施等的内容。

10.2 室 内 试 验

10.2.1～10.2.8 原规程的保留条文,但内容有所调整和删减。其中:

第10.2.4条第1款,对饱和黏性土,当加荷速率较快或为确定地基承载力时,采用了《建筑地基基础设计规范》GB 50007—2011的规定。

第10.2.8条,虽然本规程第9.1.9条规定了"坝体设计填筑标准应通过现场压实试验或室内击实试验等专项试验确定"的内容,但在勘测阶段无开展现场试验的条件,可提供经验值。

删减了原规程第10.2.3条"对难于取得原状试样的砂土、软土及灰渣土,应综合运用原位测试方法对其性质进行测试"的部分内容。

删除了原规程第10.2.7条"粉土、砂土及灰渣的密实程度,可按土工试验(天然孔隙比、相对密度)和原位测试(标准贯入、静力触探、波速等)的结果综合判定"的整条内容。

删除了原规程第10.2.10条"在室内研究饱和粉土、饱和砂土

及灰渣的震动液化问题,可采用动力特性试验方法。用上述试验资料判定时,应与标准贯入试验、静力触探及波速试验等原位测试成果综合分析确定"的整条内容。

11 岩土工程分析与勘测成品

11.1 岩土工程分析

11.1.1 本条包括贮灰场岩土工程分析评价的基础和任务,并增加了查明场地工程地质条件的规定。本规程将原规定分析评价的内容规定另列为第11.1.2条。

11.1.2 本条规定了贮灰场岩土工程分析评价过程中应包括的四项基本内容。

11.1.3 本条将原规定第11.1.2条和第11.1.3条的内容进行了归并、调整和补充。规定了在岩土工程分析评价时应了解的设计条件、统计单元的划分、定性分析和定量分析的适用内容与条件、借鉴当地修堤筑坝经验等方面内容。

由于多种因素的影响,对岩土工程稳定和变形等问题的预测,不可能十分准确,因此,对于贮灰场的复杂岩土工程问题,必要时应在施工过程中进行检测和监测,并根据检测和监测资料,建议调整和修改设计、施工方案。

11.1.4 承载能力极限状态是指超过这一极限,在岩土结构中即产生破坏机制,其可靠性以分项系数或总安全系数保证。正常使用极限状态是指超过这一极限时,均会影响正常使用,故应以工程使用要求进行复核,不得超过使用标准。

11.1.5 反分析适用于根据岩土体受力的实际状况或破坏状态,反求岩土的特性参数,或验证设计计算,查验工程效果及事故的技术原因。

11.1.6 岩土参数的可靠性和适用性,在很大程度上取决于岩土的结构受扰动的程度。不同的取土器和取样方法,对结构的扰动是不同的。此外,对同一个物理力学指标,用不同的测试手段得到的结果可能也不相同。因此,选取可靠、适用的参数应考虑取样方法、试验方法和取值标准的影响,并比较不同测试方法所得的结果。

11.2 勘测成品

11.2.1、11.2.2 本条文规定了岩土工程勘测报告的主要内容,但在编写具体勘测报告时,尚应结合自身工程特点、不同勘测阶段要求进行合理取舍,报告书必须具有明确的勘测阶段性。

11.2.3 本条文规定了在不同勘测阶段编写岩土工程勘测报告时应达到的深度要求。本次修订,遵循勘测阶段循序渐进、与设计阶段相协调的原则,并根据《火力发电厂初步可行性研究报告内容深度规定》DL/T 5374 和《火力发电厂可行性研究报告内容深度规定》DL/T 5375 的相关规定,对原规定内容进行了适当调整。

11.2.4 本规程修订、调研过程中发现,各勘测单位在贮灰场勘测中各阶段勘测的深度和提交的成品报告、图表等均存在一定的差异。根据调研结果,考虑到近年来贮灰场勘测的实际情况,本次修订将原规程附录 D 贮灰场各勘测阶段应提交的主要图件修改为附录 B 贮灰场各阶段勘测成品,并将各阶段勘测应或需要提交的成品内容进行了调整和规范。

《火力发电厂岩土工程勘测资料整编技术规定》DL/T 5093 和《电力工程勘测制图 第 2 部分:岩土工程》DL/T 5156.2 均对图件的编制作了规定,应遵照执行。

12 现场检验与监测

12.1 现场检验

12.1.1 本条规定了现场检验的主要内容和方法。本规程所指现场检验内容主要指天然地基基槽而言,而不包括地基处理、桩基础等专项检验内容。

现场检验是指根据施工揭露的地质情况,对岩土工程勘测成果进行的检查、验证。当发现与勘测成果有出入时,应进行补充修正,对施工中出现的问题,应提出处理意见和措施。

在施工阶段的检验中,应以现场直观鉴定为主要手段。当地基条件复杂,而通过直观鉴定又无法验证地基条件时,尚应通过专项施工勘测进行检验。

现场检验是岩土工程的重要部分,其目的是使贮灰场的设计施工符合场地工程地质的实际,以确保建设项目的设计、施工、工程质量与运行的安全,并总结勘测经验,提高勘测水平。

12.1.2～12.1.4 规定了贮灰场各主要建(构)筑物地段现场检验应包括的主要内容。

12.1.5 要求编写工代总结的目的是为了加强工程信息反馈、总结勘测经验、提高勘测水平,为后续工程积累经验。

12.2 现场监测

12.2.1、12.2.2 列出了与岩土工程监测有关的贮灰场现场监测内容。其中,关于贮灰坝体(基)监测的具体要求,《火力发电厂岩土工程勘测技术规程》DL/T 5074—2006已做了具体规定,可按其规定执行。

12.2.3、12.2.4 原规程保留条文,仅分别对坝肩边坡稳定性监测和排洪隧洞监测的主要任务、要求作了原则性规定。

12.2.5、12.2.6 地下水监测从基本概念上讲不同于地下水观测，监测是一项长期的工作，它不仅仅只是提出问题，而是要制定处理问题的办法。

鉴于《火力发电厂岩土工程勘测技术规程》DL/T 5074—2006对地下水监测已做了规定，为避免重复，本次修订删除了原规程的地下水位监测、水质监测及监测周期的有关规定内容。